LE VENT AMER

une femme face à Wall Street

AUDREY CLAIRE

LE VENT AMER

une femme face à Wall Street

Pascal Galodé
éditeurs

À mon père

Préface
Le roman anti-crise

par Vladimir Fédorovski

L'imaginaire a tendance à devenir réalité.

André Breton

La vérité de l'art devient toujours vérité de la vie, mais la vérité de la vie devient rarement la vérité de l'art.

Irina

PARIS, LOS Angeles et surtout New York... Le journalisme, le monde des affaires de Wall Street et dernièrement les cercles politiques, tels sont les jalons de la vie d'Audrey Claire, l'une des premières biographes d'Obama. L'auteur de ce livre a un destin hors norme, qui porte à croire que *l'american dream* n'est pas qu'un mythe.

En dépit de son apparente nonchalance, elle s'est, dès le début, prise au jeu et s'est accommodée de la cadence infernale de New York. Elle s'en nourrit, portée par l'enthousiasme créatif de cette ville faite des rencontres de gens qui viennent des quatre coins de la planète.

Elle se sent « citoyenne du monde ». Et la crise d'aujourd'hui est mondiale, même si elle a commencé en Amérique et l'a frappée de plein fouet.

Mais ici, chaque blessure devient une force. Plutôt que l'effondrement, les New-Yorkais ont choisi le combat : « la crise a changé les mentalités et a engendré une nouvelle forme de solidarité », affirme Audrey Claire. En écrivant ce livre, elle a fait une enquête sur « ces métamorphoses du monde ». Pour déchiffrer ces aléas, l'auteur a choisi quelques personnages de la bonne société new-yorkaise, quelque peu perdus dans le labyrinthe de cette vie à toute vitesse déjà à l'approche de la crise, et puis forcés à redéfinir leur vision du monde dès lors que le monde qui leur était familier est réduit en miettes. Chacun avec son parcours, ces personnages et leurs vies mettent en saillie moins un chemin à suivre qu'une vision désabusée de ces valeurs culturelles qui ont conduit à la catastrophe. Loin de tracer une direction à l'avenir, ils nous incitent à poser des questions sur les normes de notre société et le prix à payer pour obtenir ce qu'on désire. Ce n'est pas un hasard si leurs choix sont aussi différents de leurs parcours – la recherche de la « vraie vie », ou la « bonne vie » au sens platonique du terme, ne saurait être qu'individuelle et non collective. Cela dit, les choix de notre société seront bien sûr déterminés par les décisions individuelles que nous prendrons dans nos vies. Pour guider nos choix, comprendre les mentalités qui ont pu jouer un rôle dans la crise est une priorité.

Jamais complaisant, l'auteur fait un portrait grinçant mais néanmoins mesuré de cette génération, un portrait réalisé de l'intérieur grâce à sa connaissance intime de l'univers qu'elle décrit. Car l'auteur elle-même représente tout un symbole de cette évolution, nourrie qu'elle est à la fois de culture européenne et des grands mythes de l'histoire américaine. À mon sens, c'est l'alliance de cette énergie new-yorkaise et de l'esprit parisien qui fait la force de cet ouvrage.

Ainsi, comme toujours, la réalité dépasse la fiction dans ce livre ambitieux que je conçois comme véritable roman anti-crise de notre époque.

À travers ses personnages, elle nous raconte non seulement les états d'âme de Wall Street, mais par-dessus tout, nous donne des clés pour comprendre l'avenir et les transformations culturelles du monde où nous vivrons.

Ses personnages font partie de cette haute société new-yorkaise (ou londonienne) qui se croit être le centre de l'univers, détenant les clés de ce qui fait tourner le monde de la finance, et donc le monde tout court. Sortant des écoles les plus prestigieuses des États-Unis et d'Europe et abordant les défis du monde moderne avec la confiance de ceux qui croient faire partie des élites, ils exercent un métier sous haute pression, autre signe de leur sens de supériorité.

Avant la crise, l'ultime signe de reconnaissance de ces *golden boys* ou *golden girls* fut de gagner des millions et de s'offrir le style de vie qui correspond à leur statut. Le plus important était d'être « un battant », « un gagnant » – la récupération du vocabulaire de la guerre et du combat est symptomatique de leur vision du monde. Comme des pilotes de Formule 1, ces traders ou banquiers d'affaires (en grande majorité, de sexe masculin) vivaient à 300 km/h et se plaisaient dans leurs responsabilités à faire tourner la tête, surtout par rapport à leur jeunesse. Leur parcours de combattant commence, tel un rituel, toujours avant l'aube. Leurs journées s'écoulent devant des écrans d'ordinateur repus de chiffres et de courbes, en fonction desquels ils décident d'acheter ou de vendre divers actifs financiers (actions, obligations, devises, matières premières, ainsi que des produits dérivés sophistiqués, etc.).

Chaque soir, au sein des salles de marché, ils sont évalués à la mesure de leurs performances, évaluation qui équivaut pour eux à être « bon » ou « mauvais », à avoir un avenir ou non, presque à avoir une existence ou non. On n'est jamais aussi bon que ses derniers résultats – tout peut changer du jour au lendemain. La reconnaissance et la mémoire n'ont jamais existé à Wall Street. Tel un jeu géant de roulette russe, leur humeur passe de l'euphorie à l'angoisse, selon qu'ils ont gagné ou perdu – une fluctuation qui sied à la démesure de la ville. Dans ce monde d'émotions fortes et de sommes mirobolantes, la modération n'est pas une option ; on peut passer d'un extrême à l'autre en l'espace d'une journée. Leurs interventions, qui se mesurent en millions sinon milliards de dollars ou d'euros, s'appuient sur des données à la fois rationnelles et irrationnelles. D'un côté, ils décryptent des indicateurs économiques, s'appuyant sur des modèles mathématiques. De l'autre, ils se fient à leur intuition. Seul cet instinct leur permet de « sentir » un retournement de tendance. Et de faire la différence entre un bon trader et un autre. L'appât des bonus les amène à prendre des risques parfois inconsidérés. Tels les joueurs de Dostoïevski, pour gagner plus, ou pour « se refaire » après une mauvaise journée, certains sont tentés de transgresser les règles. Ce mélange inédit entre analyse et sang-froid d'un côté, et intuition, coups de cœur, crises de panique et phénomène de groupe de l'autre, fait de leurs vies un laboratoire idéal de la condition humaine – tentant désespérément de se tracer un destin d'après les lois éclairées de la raison, pour s'abandonner à un tourbillon d'événements et d'émotions – irrationnels et incontrôlés.

La crise ? Comme partout, il y a deux écoles qui s'affrontent : « pessimistes » et « optimistes ». Pour les « pessimistes », la crise va changer Wall Street telle qu'on la connaît, mais personne ne sait ce qui la remplacerait dans cette nouvelle donne. Pour les « optimistes », en revanche, on assiste à un ralentissement classique après une période de forte expansion économique. L'excès de crédit avait donné de l'essor à l'économie tel le whisky à une soirée entre traders. L'origine de la crise est la politique d'endettement menée par la Fed pour alimenter la croissance de ces quinze dernières années, choix délibéré ayant conduit à de multiples bulles, en particulier dans l'immobilier[1].

Le type de problèmes sur lesquels planchent aujourd'hui les ténors de la finance : « Sachant que la banque A est exposée aux *subprimes*, *via* des ABS (*asset back securities*),

---

1   La crise des *subprimes* aux États-Unis fut donc le premier symptôme de l'éclatement de la bulle du crédit. Le désarroi des investisseurs se résumait en une phrase : « On ne sait pas ! » La formidable sophistication des activités obligataires plonge la profession dans le brouillard quand il s'agit de localiser et d'évaluer les risques. Le comble, pour un banquier...

eux-mêmes logés dans des CDO (*collaterized debt obligation*), dont la banque A détient un taux de X % en tranche mezzanine avec une proportion de Y caractérisé par un point d'attachement inférieur à 50 %, quelle sera sa perte finale si l'on forme l'hypothèse d'un taux de défaut final de 20 % sur le cru 2006 de *subprimes* ? »

La majorité des traders continue à croire qu'en soi, la « titrisation » et la « structuration du crédit » n'étaient pas la source du mal. C'était une formidable innovation financière, mais il y a eu des excès que les banques avaient payés en 2008 au prix fort.

Cette logique domine à Wall Street.

« La rue », comme l'appellent les initiés, va-t-elle s'en remettre ? La reprise semble déjà bel et bien en route. Les choses se tassent et se débinent tout doucement. La crise ne serait qu'un épisode difficile à passer, la vague de croissance mondiale devant permettre la remise en ordre économique du monde. En effet, les marchés financiers recommencent à flamber, les banques reprennent leur gestion d'actifs et envoient le meilleur signal de retour à la normale : la distribution de bonus extravagants. Que va-t-on donc changer : limitation de la part variable de la rémunération totale, paiement étalé dans le temps des bonus, évaluation pluriannuelle des performances donnant lieu aux primes, etc. ? On voit mal comment un salaire fixe plus élevé résoudrait le problème.

Le temps de voir nos emplois restaurés, nos achats de Noël garantis, notre auto financée, nous aurons oublié nos bonnes intentions. Nous aussi, nous voterons pour la politique d'« après moi, le déluge ».

Certes, Wall Street ne va pas rendre sans se battre sa place de premier centre financier du monde. Sa suprématie n'est pas menacée. Dans dix ou quinze ans, sera-t-elle plus forte et développée qu'aujourd'hui, ou bien aura-t-elle cédé sa place aux marchés émergeants tels que la Chine ou encore l'Inde ? Le monde que nous connaissons, et qui semble revenir à lui après la secousse de la crise, risque de ne plus exister d'ici une décennie ou deux… C'est ainsi que l'on débat de la réalité du changement jusqu'à ce que la transformation s'impose comme une évidence, et devienne une vieille nouvelle.

Ces jeunes banquiers qui ont vécu en direct la crise du crédit semblent avoir retenu la leçon, mais sera-t-on capable de résister aux tentatives des excès ? Il n'en a rien été jusqu'ici. Fausse alerte, retour aux crédits pourris et aux stock-options, comme au bon vieux temps de Lehman Brothers ?

Pas si simple, répond l'auteur de ce livre. Attention : nous vivrons d'autres crises et elles sont inhérentes à la profession, et à la condition humaine. Car dans quelques années, quelques mois peut-être, un autre tsunami, plus violent encore, déferlera sur la planète. L'inflation pourrait être le levier de la désolation. Une inflation provoquée par cette folie du déficit, qui se propagerait par une hausse vertigineuse du pétrole et des matières premières. À moins que nous ne voulions une réforme, une vraie ?

Pourtant, une réforme ne saurait être suffisante en soi. Il est moins question de réformes imposées d'en haut par ces mêmes États qui n'ont pas vu venir la crise, mais d'une évolution des mentalités – un tassement des priorités individuelles et des valeurs de notre culture. Les métamorphoses culturelles, comme on le sait, sont encore plus difficiles que les mutations des systèmes légaux et financiers.

Il est clair que Wall Street de la vieille école a encore de beaux jours devant elle. Cependant, il n'en est pas moins clair que la crise a été un choc de taille, mettant en motion des changements que nous allons encore digérer pendant des années, peut-être des décennies. Nos ancêtres, réveillés un matin de 1914 à l'annonce d'une déclaration de la guerre, auraient pu croire – espérer – que la vie puisse revenir à ce qu'elle avait été une fois la guerre terminée. Et pourtant, on le voit avec clarté aujourd'hui, les choses ne seraient jamais plus comme avant.

On ne peut bien discerner ces bouleversements qu'avec la distance, et pourtant essayer de les comprendre avant que le tassement ne soit terminé fait partie, inéluctablement, de la condition humaine – cette manie de vouloir comprendre les choses qui anime les personnages d'Audrey Claire.

Saluons donc le courage de tenter de déchiffrer le paysage derrière la vitre d'un train qui passe. Car sans nul doute, la crise, comme le démontre ce livre d'Audrey Claire, a changé quelque chose d'essentiel.

Elle a changé le monde et nous-mêmes...

Vladimir Fédorovski

Avant-propos

COMMENT NOTRE MONDE est-il en train de changer à la suite de la crise ? Quelles valeurs seront les siennes ? Comment les bouleversements en cours vont-ils affecter nos destins ? Les personnages de ce livre offrent une image cinglante du monde des yuppies new-yorkais, banquiers ou publicitaires, philanthropes ou intellectuels, aux prises avec un monde qui leur échappe.

Une *vanitas vanitatis* moderne, leur parcours reflète la quête de ces valeurs qui les animent sans les satisfaire, jusqu'au cataclysme provoqué par la crise, détruisant la certitude et la protection qu'ils croyaient s'être créées. En suivant le destin de ces grands banquiers de Wall Street et ceux qui les entourent, on discerne ainsi l'aveuglement des élites devant les mutations en cours depuis la fin des années 80.

La crise actuelle représente effectivement autant une occasion à saisir qu'un danger. Dans ce contexte, un nouveau type d'individu émerge, aux prises avec les paradoxes du XXIᵉ siècle. La reprise qui s'esquisse sera-t-elle une « relance » dans le sens d'un retour aux normes culturelles d'antan ou bien un changement de cap ? Dans le vide créé par la chute de l'Empire, quelles sont les valeurs qui vont prendre la place des idoles renversées ? Ce changement de valeurs sera-t-il durable ou bien oublié dès la reprise des marchés financiers ? Finalement, quelle est la forme littéraire la mieux adaptée à cet individu complexe et changeant de la nouvelle société ? Bien au-delà d'une analyse de la crise, nous nous devons de formuler une vision du profond chamboulement que traversent nos sociétés, et des clivages sociaux, économiques et spirituels qui l'accompagnent.

Ces défaillances des élites sont propres à l'Amérique, mais aussi révélatrices des clivages européens. Un divorce se dessine en effet entre une société encore fondée sur la logique de la consommation et celle qui se met en place, cherchant le mieux-être fondé sur une harmonie avec le monde qui nous entoure, et ose se poser des questions spirituelles ou existentielles. Au-delà de la défaillance des mécanismes de gestion, une prise de conscience s'annonce face à la pauvreté de l'abondance et un optimisme trompeur de la consommation.

Vanitas vanitatis, et omnia vanitas
Vanité des vanités, tout n'est que
vanité et poursuite du vent

Ecclésiaste

1
Désespoir de novembre

*Pour être prêt… à espérer en ce qui ne trompe pas,
il faut d'abord désespérer de tout ce qui trompe.*

Georges Bernanos

L'homme est le seul animal qui puisse se sentir ennuyé, mécontent, évincé du paradis.

Erich Fromm

L E VENT DE NOVEMBRE soufflait de toute force, il allait balayer Michel comme une feuille. Comme une feuille – c'est ce qu'il resterait de lui. Une vie était-elle aussi facile à balayer ? Après toutes ces années d'existence, une feuille. Il aurait eu sur la vie des autres un pouvoir de frôlement, mais ne laisserait pas plus de mémoire qu'une feuille de novembre envolée à toute allure, dans un souffle de tempête.

Finalement, il ne resterait de cette vie que quelques moments fuyants qu'il avait gardés dans sa mémoire. Il y avait cette lueur d'avoir compris quelque chose, dans sa jeunesse. Comprendre était un sentiment bizarrement attirant.

C'était davantage que de faire partie des choses – même si c'était certainement un élément de la fascination qu'il éprouvait. Comme si les choses s'ouvraient, une invitation à y entrer. C'était le sentiment de vivre au rythme du monde, un monde qui avait un sens et l'offrait à celui qui cherchait.

Un monde qui a besoin d'être compris, de même qu'un Dieu qui a au fond besoin d'être aimé. Rester au ciel sans conversations ni affection, cela devrait être drôlement ennuyeux.

Comprendre donnait une lumière à suivre, il y avait des choses à faire plus tard qui créaient une séquence.

En revanche, en ce moment, les journées semblaient disjonctées, décousues – elles ne rimaient à rien. Il essayait de leur donner suite, essayait de construire un semblant de progression logique – c'était comme s'il s'efforçait de jouer un rôle dans sa propre vie. Et pourtant, toute construction s'effilochait, sans ambages. Les journées se suivaient sans avoir aucun fil conducteur.

Il essayait néanmoins de maintenir une apparence de logique et de consistance, de peur d'effrayer les autres.

Après tout, il avait été élevé pour faire ça. La logique cartésienne de son éducation aurait fourni l'épine dorsale de sa carrière, une croyance inébranlable en la raison, individuelle et collective. Le pouvoir de l'individu de maîtriser les choses. Et au-delà, la capacité à exercer la même maîtrise sur autrui.

Aujourd'hui, tout semblait bien contraire à ce qu'il avait imaginé. Rien ne semblait durer. Les choses qu'il croyait comprendre lui échappaient – il ne comprenait plus comment marchait le monde. Et il ne comprenait plus comment sa vie pouvait encore s'inscrire dans celui-ci.

Il entra dans un café.

Le vent était tellement fort, l'impulsion de se mettre au chaud était presque physique, plus forte que la nécessité d'avancer qui avait régi toute son existence. C'était donc ce qui restait, l'instinct physique. Mais était-ce assez pour justifier d'une vie ? Il n'était pas clair si c'était aussi le cas des autres, auquel cas ce monde qu'il avait cru un jour pouvoir comprendre lui avait donné un beau pied de nez.

Le café était éclairé de cette lumière stridente qui mettait en évidence les pires défauts des habitués. C'était comme la première lumière du jour, impitoyable et sans recours. Parfois on apprécierait une main bienveillante qui prendrait le soin de tamiser cette lumière pénétrante. L'espace était plein de visiteurs habituels, avec une claire distinction entre les gens pressés et les autres. Au comptoir, un homme d'affaires au manteau noir commandait un café. Il était tellement pressé qu'il essayait de prononcer les mots plus vite. La vitesse de son élocution le rendait incompréhensible, et il était forcé de répéter la même chose deux fois, avec l'agacement visible de celui qui n'a pas une minute à perdre.

La lumière raide et féroce était une sorte de plaisanterie – une sorte d'illusion qu'on voulait créer qu'il était possible de comprendre, d'éclairer les choses.

Michel regardait l'homme d'affaires pressé. Il se souvenait d'avoir été comme lui ; aujourd'hui, sa confiance en lui paraissait bien factice. Ah, cette illusion que les choses avaient une importance, qu'il y avait une raison d'être pressé et qu'on était indispensable.

Rien de tel aujourd'hui. Toujours otage de cette nécessité permanente d'être occupé, Michel passait des heures entières à regarder son ordinateur. L'écran était devenu une fenêtre sur le vide. Toutes ces possibilités qui s'écoulaient devant lui.

Cet amoncellement de chances, et aucune ne semblait réelle. Michel se souvenait d'avoir entendu le PDG de Google parler des possibilités infinies d'avoir toute l'information du monde à la pointe des doigts. Michel y avait trouvé une sorte d'ironie très particulière car toutes ces idées, il ne savait qu'en faire. Son énergie, sa croyance en son pouvoir d'aménager le monde semblaient lui avoir échappé.

Un aspect de l'Internet qui l'accaparait pourtant, c'étaient les sites de networking social. Ce qui le préoccupait, c'était cette illusion de vie qu'ils créaient – comme si placer des photos sur Facebook, animer un blog ou refléter ses menus déplacements sur Twitter était plus qu'un signe de bonheur et de vitalité, était une preuve d'existence. Toutes ces photos de personnages souriants, entourés de leurs familles, constamment en vacances, lui semblaient la pire des hypocrisies – une façade de bonheur virtuel, alors qu'il connaissait leurs derrières de coulisses, les déchirements personnels, les adultères, les divorces, les licenciements, les enfants à problèmes.

Et pourtant, le désir de contempler chaque jour de nouveaux tournants de cette escroquerie était plus fort que lui. Ces pages virtuelles, aussi futiles qu'elles puissent être, semblaient sa dernière attache à une possibilité d'existence, une vie réelle et non pas balayée par le vent automnal. Ne pas y participer paraissait être aujourd'hui une mort certaine – ne pas avoir de page Facebook, d'amis virtuels soigneusement répertoriés, devait être le signe certain de non-existence. D'ailleurs, le nombre d'amis ? Était-ce devenu un nouveau signe de statut ? Plus on était « connecté», plus on était important, et plus on était important, plus on était certain d'exister.

Qui saurait encore qu'on est là et qui s'en préoccuperait ?

Être en contact avec ses amis virtuels était aussi une excellente échappatoire, le libérant de la nécessité gênante de leur parler dans la vraie vie. Chaque conversation était un peu l'occasion de voir où l'on en était dans la vie, et Michel redoutait la réponse qui en ressortirait inévitablement : nulle part. Pas d'achat de maison à la campagne, ni de vacances exotiques, pas de promotion ni de projet professionnel impressionnant. Rien à dire, donc... Les autres, eux, semblaient toujours avoir quelque bonne nouvelle, un heureux événement apte à démontrer leurs accomplissements et la plénitude de leur vie.

Facebook, par ailleurs, lui donnait la possibilité d'être « présent » – au moins il n'était pas disparu – sans dévoiler son âme ni devoir s'étendre sur le progrès de sa vie. Le soulagement extrême d'afficher une existence virtuelle sans avoir à rendre compte de sa vie réelle... S'éclipser ainsi derrière la façade qu'il s'était créée était tout ce qu'il voulait en ce moment.

De jour en jour, Michel se retrouvait ainsi devant l'écran de son ordinateur – la position du travail. Peut-être était-ce sa dernière chance d'en donner l'illusion, et dans ce monde la réalité semblait suivre l'illusion et non pas l'inverse. Ce n'était pas qu'il ne trouvait aucune idée pour occuper son temps – c'était que toutes ces possibilités lui paraissaient aujourd'hui futiles, sans avenir. Il avait le sentiment d'être assommé par le retournement à l'envers de ses croyances, son incapacité à avancer dans une direction choisie.

Pourquoi le faire, s'il n'y avait aucun sens ?

Des objectifs à atteindre, il s'en était fixés. Au départ, tout semblait être une mire.

Il suffisait de l'établir, et on pouvait l'atteindre. Par la magie de la croyance en l'esprit humain, en sa capacité à structurer et à analyser les choses. Par la croyance en la volonté humaine, une fervente nécessité de faire en sorte que les choses bougent. Par une intelligence qui se sentait sommée de déchiffrer le monde et non d'en accepter l'absurdité.

À vrai dire, les buts n'étaient pas nécessairement clairs. Peut-être y avait-il plutôt un besoin inconscient de trouver la vie – ou était-elle cachée ? Cette vraie vie dont il rêvait depuis son enfance.

Une vie vécue à pleine allure, de plein fouet. Il se trouvait qu'il y avait plus de fouet que d'allure.

Il ressentait une fatigue immense. C'était comme si tout le monde était écroulé et reposait sur ses épaules.

Les activités qui dorénavant apportaient du sens à sa vie étaient celles qui en semblaient dépourvues maintenant.

Il avait commencé à écrire un blog sur la vie culturelle de New York, qui lui permettait de trouver une expression en dehors de son métier, fort technique. Écrire ? Est-ce que cela avait encore un sens ?

Quel serait le bénéfice de poser ses pensées sur une feuille de papier blanche (ou plutôt, de les tapoter sur le clavier de son ordinateur) ? La langue, cette pâte à modeler dont il avait jadis adoré se servir, semblait ne plus lui obéir. Surtout, dans quel but l'utiliser ? Michel semblait paralysé par l'absurdité du monde qui l'entourait. Est-ce que c'était pour se libérer d'un poids qu'il devait écrire ? À quoi bon s'engager dans cet acte absurde et sans lendemain, l'écriture ? Le monde lui semblait tellement incompréhensible que la parole ne parviendrait jamais à en capturer le vide. Quand bien même elle y parviendrait, ce serait uniquement pour en rendre évident le manque de sens, entreprise absurde par excellence.

Pourquoi perdre du temps à gribouiller des paroles ? Des moments de vie, passés à recenser son absence de sens, moments rendus vides par cet effort sans lendemain. Mais d'un autre côté, à quoi encore la vie pourrait-elle être utile ?

Les mots ne venaient pas pour décrire la vie autour de lui ou en lui. Il avait l'impression d'être face au langage comme on est face à un miroir brisé : les morceaux étaient peut-être bons, dans leur étincelante illusion, pour un jeu d'enfants, mais n'étaient plus en état de refléter le visage en face. Ou plutôt, on n'en voyait qu'une partie, et les morceaux renvoyaient une image de fragment déformé, incapable de montrer l'ensemble des choses.

Alors ce miroir brisé devenait son obsession. Que devait-on faire : essayer d'oublier l'incident et tenter de recoller les morceaux, en prétendant que les fissures n'étaient pas là ? Assembler les morceaux, patiemment, un à un, en espérant contre tout espoir qu'il en résulterait un miroir entier... Ce miroir fissuré se casse encore et encore, rappelant de manière obsessionnelle la brisure d'origine et entraînant à chaque fois une reconstruction tout aussi compulsive. Tenter de voir le tout à travers la partie ? On en recevait une vision déformée – un nez énorme qui prenait le devant de la scène. Ce miroir, il ne pouvait pas le tendre à un autre, il ne pouvait pas non plus s'y reconnaître. Le miroir renvoyait des reflets grotesques, déformés, mais changeant tout aussi vite qu'ils étaient apparus.

C'était comme si plus rien ne pouvait le toucher.

2
Les tentations du début

Quel avantage revient-il à l'homme de
toute la peine qu'il se donne sous le soleil ?

Ecclésiaste

CE JOUR-LÀ, la pluie a fait irruption dans une journée pleine de soleil, comme pour jouer – il était impossible de prendre la tempête au sérieux au milieu de ce mur de lumière. Les gouttes de pluie luisaient comme un nouvel espoir à travers les rayons de soleil. Il semblait que rien ne manquait à la plénitude de ce rayonnement, même une averse soudaine ne pouvait déranger la beauté du monde mais ne faisait qu'y contribuer. La vie de Michel semblait être ficelée de possibilités.

C'était comme si les choses allaient trop vite. Le printemps était arrivé, tout d'un coup, contre toute attente, avec l'étonnement d'un réveil au milieu de la nuit. Selon les dates du calendrier, le printemps aurait déjà dû être là depuis longtemps, mais sans signes avant-coureurs sa présence ne se laissait deviner en rien. La vie continuait donc dans un rythme hivernal, comme si de rien n'était, dans l'ignorance des choses. Mais tout à coup, tout était changé – en une semaine, les arbres se sont recouverts d'une épaisse touffeur de feuillage, et il semblait difficile de ne pas croire que le monde entier était métamorphosé, enrichi, souriant au soleil et respirant l'air de printemps.

Toute cette année semblait sourire à Michel et à Karine. La carrière de Michel dans la banque d'affaires Lehman Brothers s'annonçait bien. Il courait d'une transaction à l'autre, d'une présentation à l'autre, et semblait être transporté par une vague. Une vague qui le portait, presque envers et contre lui, à être une pièce dans cet énorme fourmillement de Wall Street – même une fourmi, telle que lui, semblait participer à un cheminement commun et un système bien réglé. Tout semblait obéir à une règle qui, bien qu'elle puisse lui échapper, n'en était pas moins réelle.

Pourtant, rien ne l'avait prédisposé à en faire partie.

Sorti d'un programme de l'une des grandes universités prestigieuses de la côte est, il était arrivé à New York les yeux grands ouverts, presque nerveux de son début sur la grande scène. Cherchant un poste qui ne ferme pas les portes à l'avenir, il était tombé sur la finance pratiquement par hasard. On lui avait dit que c'était la filière par excellence pour les fortunés dotés d'une intelligence supérieure, une carrière qui laissait toutes les possibilités ouvertes à l'avenir.

Ne sachant trop que faire de sa vie et où amener sa dégaine, Michel est entré dans ce monde comme on entre dans les ordres, avec la fervente dévotion de tout faire pour arriver. De manière étrange, ses premières impressions oscillaient entre un sens de pouvoir absolu et d'aliénation totale. D'un côté, la culture ambiante était faite d'optimisme et de croyance en son pouvoir – l'illusion enivrante de sentir le monde bouger à un maniement de sa baguette. Il était presque surpris quand le mouvement ne se manifestait pas autant qu'il le désirait – comment ne comprenait-on pas l'importance de ses gestes ?

L'un de ses premiers jours, à l'annonce d'une transaction importante, il avait poussé la porte et était surpris de constater que la lumière du jour était comme d'habitude, que les passants semblaient vaquer à leurs occupations. Comment ne pas comprendre ce qui venait de se passer ? Il ne pouvait pas croire que le monde n'ait pas bougé – tel après un malheur extrême, quand le monde qui marche est une offense à notre deuil.

L'autre aspect de sa nouvelle vie était pourtant un malaise qu'il essayait de taire mais qui n'en finissait pas de le tarauder, c'était de n'être qu'un pion dans une énorme machine dont le sens lui échappait. Sa vie, malgré son attrait apparent, semblait mécanique. Il avançait comme une ombre dont les mouvements sont codifiés à l'infini, mais qui en oublie le sens de son propre mouvement. Un grain de sable dans une structure énorme et sophistiquée, un rouage à faire marcher la grandiose machinerie mercantile des flux de l'argent.

Il était facile de trouver un sens superficiel à ce qu'il faisait – tous ses amis étaient partie prenante de cet immense effort de « dissonance cognitive » : une explication du monde à travers le prisme de leur avidité de statut – et des récompenses qui l'accompagnent. Faire marcher l'économie, et donc créer des emplois, afin de maintenir en vie ce cercle de l'effort qui n'en finit pas de tourner en rond.

Son introduction au monde de la finance allait prendre un pas inattendu. Cette journée de printemps, Michel était préoccupé par les dossiers à terminer ; il était resté au bureau jusqu'à minuit, ce qui pourtant était une heure très raisonnable. Engourdi par son travail, il avait à peine entendu deux collègues qui s'étaient approchés de son bureau. « L'équipe de produits structures aurait besoin d'aide », aborda le sujet délicat l'un d'eux, Rob. Il donnait toujours une impression décontractée, excellente façade pour arborer ses ambitions de requin.

« Il est sympa, aimé par tout le monde, c'est pour ça qu'on lui donne les tâches difficiles », ne put s'empêcher de penser Michel. Son cœur commençait à battre à un rythme accéléré – s'il prenait un projet en plus, il n'était pas sûr de savoir comment terminer le travail sur la fusion qu'il était en train de gérer.

« Mais je suis dans les fus-acqu (fusions-acquisitions) », tenta-t-il de rétorquer, sans trop de confiance.

« Il y a plein de travail dans les produits structurés, on est débordés », saillit la réponse de son collègue impassible.

« Tu vas t'amuser – c'est là que sont les gars les plus intelligents », renchérit Guillaume, un banquier lisse à l'allure toujours parfaite. Lui, Michel ne l'aimait pas – trop parfait. Malgré la force naïve de son ambition, la notion d'amusement appliquée à son travail lui paraissait néanmoins un peu trop poussée.

« Ils ont toujours les meilleurs arguments », soupira Michel en lui-même.

Sympa, amusant, collègues intelligents. Tout ceci pour passer des nuits entières à revoir des modèles, trouver des erreurs de calcul, et préparer des dossiers qui fournissaient toutes les informations que l'on pourrait négliger. La décision finale serait quand même basée sur un « jugement », lui-même fondé sur une négociation qui prenait en compte tous les intérêts des parties en question. Son travail ne serait qu'une petite pièce, négligeable à la fin.

Quand même, difficile de refuser. Michel sentait la tension monter dans son dos, cette tension qu'il sentait à chaque fois qu'il voyait une tâche insurmontable devant lui. La chair de poule l'envahissait, l'incertitude de s'il pourrait y arriver. Encore une fois, c'était sa vie – et son sommeil – qui en paierait les frais. Pourtant, le refus n'était pas une option – et l'échec non plus. Difficile de dire ce qui serait le plus dur : prendre du travail en plus ou refuser ce qui semblait être une suggestion très ferme.

« Je suis débordé... », esquissa-t-il.

« Tu n'as pas les choses en main ? » – la répartie sortit telle une balle. La pire insulte – Michel entendit une porte claquer. Plus de sortie.

« Nous sommes à un moment critique de la transaction », s'aventura-t-il avant de se rattraper. « Mais je peux voir si je peux prendre autre chose. Je ne m'y connais pas vraiment en produits structurés, je ne me sens pas vraiment capable de mesurer le risque et de faire l'évaluation. »

« Tu verras, un mec comme toi va piger très vite »,
Guillaume était en train de clore la conversation. « Ce n'est
pas si compliqué. Et encore une fois, tu seras dans la même
équipe avec les meilleurs cerveaux. »

C'est comme cela que Michel aboutit dans l'équipe
des produits dérivés. Tout avait commencé de manière bon
enfant et anodine. Il était loin de comprendre où il s'était
engagé et surtout le gouffre que cela représentait.

La première réunion semblait de prime abord toujours
aussi anodine. Blagues pour commencer, discussion des
derniers résultats sportifs, ambiance décontractée. Premier
briefing et explications de base. « On fait un package d'actifs pour diminuer le risque », avait commencé le chef de
l'équipe, Vincent, un matheux élégant avec un goût pour
les bons vins.

Jusque-là, tout avait un sens. Michel se souvenait de ses
cours de statistiques : un portefeuille plus grand égale une
meilleure distribution des risques.

« Les investisseurs peuvent donc investir dans un
ensemble d'actifs, comme par exemple des prêts immobiliers, au lieu d'investir dans des actifs particuliers et d'en
porter le risque individuel. »

Gommage du risque par la magie des statistiques,
pensait Michel. Il avait toujours trouvé la finance
fascinante.

« En plus, continuait son nouveau chef, le bénéfice sup-
plémentaire est que ce type de portefeuille peut être vendu
aux investisseurs comme des véhicules séparés. Et donc

sortis du bilan de l'investisseur d'origine, libérant son bilan pour faire d'autres investissements. »

« Mais c'est du génie financier ! », s'exclama Michel, à moitié sincère. Les gars des produits structurés soignaient leur réputation de génies de la finance, capables de résoudre des problèmes impossibles pour les autres. Leur dire ce qu'ils pensaient déjà équivalait à une preuve d'intelligence. Dans un monde où l'intelligence semblait régner en valeur suprême, cette intelligence se mesurait à la similitude des opinions. Après tout, qui pouvait être plus doué que celui qui arrivait aux mêmes conclusions ?

« Tu piges », acquiesça en effet Vincent, regardant le nouveau venu d'un regard perçant, lui-même vu comme signe d'une intelligence suprême.

« Les choses les plus géniales sont les plus simples – je me demande comment personne n'y a pensé auparavant. À voir ce que les gars inventeront la prochaine fois – et tu seras peut-être l'un de ces petits futés. »

Première approbation – dans une industrie où les réputations se faisaient et se défaisaient à la première impression, cette réunion était un succès. Ainsi que le lui avait dit Samira, une collègue de la salle des marchés : « La finance est un business de marketing. La perception fait la réalité. »

Pour Michel, qui avait fait des études d'anthropologie avant de s'engager dans la finance, observer les codes non écrits de Wall Street était toujours fascinant. Cette petite danse de la première impression en était un – pour le chef, établir son autorité sous forme de génie ; pour le nouvel arrivant, renforcer l'opinion que le chef avait de lui-même, du marché et du monde en général. Le plus facile était de penser et d'agir comme le chef – dans cette société quasi tribale, l'un des mythes était le « raccourci », à savoir le fait de mieux travailler ensemble quand on « se comprend » – nom de code pour la similitude des pensées et du comportement. « Je comprends comment il pense », dirait Vincent, et cette compréhension était plus facile à atteindre s'il se reconnaissait lui-même dans son entourage. C'est ainsi qu'une culture d'entreprise qui valorise la diversité par-dessus tout a pu engendrer une « pensée de groupe » où peu de voix se sont élevées pour aller à contre-courant.

Toujours est-il que Michel acceptait pour l'instant les règles de ce monde comme il acceptait les lois et les valeurs des sociétés et tribus qu'il étudiait – sans les remettre en question, sans jugement de valeur. Ne serait-ce aussi inutile que de remettre en question les règles de grammaire ? Les règles du jeu paraissaient compliquées, stratifiées, comme les réseaux enchevêtrés des sociétés anciennes. On pouvait les étudier, en jouer, les accepter – mais les rejeter semblait avoir aussi peu d'intérêt que de décrier la pluie.

Maintenant qu'il avait le luxe de regarder en arrière, Michel, comme tant d'autres, se posait la question : n'avait-il vraiment pas vu la crise venir ?

Était-ce par ignorance, manque de lucidité – lui qui était si fier de sa capacité à décortiquer les éléments les plus complexes et à y découvrir un côté méconnu – ou est-ce qu'il avait fait le choix délibéré d'ignorer tous les signes ? Une forme de cécité autoprotectrice, qui le laissait dans le droit chemin. Voir les problèmes, et en parler, était-ce vraiment une option ?

Ceux qui gâchent la fête ne sont plus vraiment réinvités. Il y avait eu quelques voix isolées qui s'étaient élevées envers et contre tous. Quelques économistes, bien protégés dans leur liberté d'expression par leurs positions universitaires. Les praticiens, eux, étaient bien trop occupés à exécuter des transactions pour se poser des questions philosophiques. Ne fût-ce qu'exprimer des doutes, remettre en question la stratégie, aurait amené à un écartement progressif des prises de décisions, et peut-être à un licenciement dès que l'économie avait commencé à ralentir. Ou bien était-ce la peur de cette éventualité qui l'empêchait d'avoir un jugement indépendant ?

Le soir, il voulait s'échapper en dînant avec Karine, sa femme, ainsi que Clara et Bertrand, un couple d'amis. Matt, un ami qui était trader dans la salle des marchés, qui devait aussi se joindre à eux, avait annulé à la dernière minute. Les marchés commençaient à être houleux et il avait besoin de la soirée pour repenser sa stratégie.

Pour Michel, s'échapper n'était jamais facile – en sortant à 22 h, il avait l'impression de travailler à mi-temps : la majorité de ses collègues était toujours là. Karine, elle, commençait la soirée toute seule ou avec des amies avant de retrouver Michel.

Ils avaient tellement peu de temps que chaque minute de liberté était précieuse, et devait être célébrée comme une fête. Le prix n'avait pas d'importance – uniquement le temps comptait. « Occupez-vous bien de notre société, et nous nous occuperons de vous », avait entendu Michel à son arrivée. Chaque sortie, du fait de sa rareté, se soldait donc par un repas somptueux, champagne coulant à flots, dans un restaurant à la mode. La réputation du restaurant était plus importante que sa qualité : ayant perdu la capacité de goûter mais non celle d'être flatté, on avait toujours besoin d'une reconnaissance extérieure de toute action pour en mesurer la validité.

En poussant la porte roulante de la sortie, Michel était toujours étonné par la chute de la température – il faisait toujours plus frais dans les restaurants... Pour une minute, le contraste le rendait vivant de nouveau : à l'intérieur de l'immeuble, l'air était toujours glacé, comme les vies sans passion qui s'y déroulaient. Goût du risque, sombre attrait du pouvoir – Michel essayait pourtant d'y prendre goût, comme un enfant à qui l'on enseigne le goût acquis des repas d'adulte. Mais en sortant, l'air de la rue était toujours un choc, lui rappelant l'existence de ce corps qu'il était de bon aloi de négliger.

En été, Michel aimait bien ce moment de sortie, d'une surprise toujours fraîche – en quelques instants, la chaleur du béton allait l'apprivoiser et l'enfouir sous la cape de la torpeur d'été new-yorkaise. Mais pendant quelques instants, il se sentait capable de respirer.

C'était toujours dans le passage d'un état à l'autre qu'il trouvait le plus de vérité – les moments pas encore édités par sa conscience. Une fois qu'il s'enfonçait dans une activité – qu'elle soit d'ailleurs de travail ou de loisir – ses réflexes entraient en jeu et sa conscience se débranchait, comme si les normes prenaient le dessus. Il ne pouvait pas s'empêcher de penser aux films populaires où les zombies envahissent les corps humains – une fois un ordre donné à sa conscience, par lui ou par d'autres, il se voyait foncer dans une direction sans plus se poser de questions. Se relâcher n'était plus une option – qui sait où cela pourrait mener, des terrains inconnus, peut-être un abîme. Alors que, concentré sur son but comme un soldat qui pointe son fusil, il pensait réaliser ce que la société, son éducation, et sa philosophie de vie attendaient de lui.

Mais dans les moments de passage, tout était en suspens – avant que la poursuite de la performance ne prenne possession de lui, il s'oubliait jusqu'à sentir entrer en lui quelques gouttes de vie. Comme un pèlerin assoiffé dans le désert, il savourait chacune d'elles, y trouvait un goût différent à chaque fois, et se prenait à vouloir tricher et passer plus souvent d'une activité à l'autre, comme un élève faisant l'école buissonnière. Entre les deux, il était libéré.

Entre chien et loup, existait pour lui une plage d'existence où il n'était pas régi par les coutumes, ni l'incessante suite de buts progressifs imposés par sa philosophie. Dans cet espace mi-figue, mi-raisin, la personnalité qu'il croyait être la sienne n'existait pas et le libérait de ses contraintes. Son identité n'existait plus – il n'était plus forcé d'être ceci ou cela, figé sur son but et dans ses soi-disant attributs, emprisonné dans son caractère et une façon de vivre qu'il avait pourtant bel et bien choisie.

À chaque fois, après ce réveil provisoire, il s'enfonçait pourtant de plus en plus dans sa torpeur. Il lui devenait de plus en plus difficile de sortir de ce sommeil lourd, de cet assoupissement aux couleurs de la vie. La violence qu'il se faisait n'était pas sans prix – il lui serait toujours plus difficile de se rattraper.

Savourer les victoires propres à son métier lui devenait de plus en plus difficile – dans son état de torpeur, il se retrouvait à vouloir tout laisser tomber, comme si quelques bouchées de liberté, telles qu'il les savourait dans ses moments de transition, étaient le prix suprême. Dans un métier où la motivation principale était un but précis et chiffré (à savoir le bonus de fin d'année), cette attitude se faisait de plus en plus dérangeante.

Simplement, respirer.

Sentir la fraîcheur de la rosée du petit matin à Central Park, sur le chemin du bureau. Déguster les premiers rayons de soleil, cassant en deux la table du café où, rituel immuable, il allait toujours chercher son café du matin. Les arbres de Central Park veillaient sur son parcours vers le métro avec la bienveillance d'une sagesse acquise au fil des décennies. On ne pouvait pas la leur jouer, à eux, et Michel n'essayait pas.

Il habitait dans le Upper East Side, un beau quartier de Manhattan, donnant sur le parc, dans une vieille maison construite pour une existence d'antan, aux manières plus civilisées. Un de ses jeunes collègues avait dit : « Vingt-huit ans et un appartement avec vue sur le parc : qu'est-ce que je fais maintenant ? » Cette question présupposait une certaine permanence. Il connaissait bien l'attrait de cette illusion de la solidité, mais parfois il se réveillait en imaginant cette vie révolue. Une gêne qu'il réprimait rapidement. Il préférait se focaliser sur la pensée plus agréable et moins menaçante qu'il avait choisi le bon quartier, même si lui n'avait pas de fenêtre sur le parc.

Pourtant, il ne pouvait pas échapper au sentiment que ce qui lui donnait le plus de joie, c'étaient des choses simples : les morceaux tristement déformés de la campagne qui avaient réussi à se faufiler dans la jungle urbaine, comme un passant qui traverse la rue ignorant la circulation. La lumière du soir qui se posait sur la ville telle une voile apaisante. Les contours des arbres à Central Park qui ne cachaient pas leur ambition théâtrale, surtout quand le vent les éclaboussait de son souffle. Le crépuscule où les passants devenaient des ombres de théâtre chinois, gesticulant dans les feux des lampes qui s'allumaient.

En entrant dans le restaurant, Michel n'eut aucun mal à repérer Karine. Se frayant un passage à travers la foule, il entendait de loin son rire retentissant.

Karine ne partageait pas les doutes existentiels de Michel. Adolescente, elle s'était sentie exclue des milieux « cool » de son lycée et s'était appliquée toute sa vie à prouver que ses amis avaient mal vu. Elle mesurait donc tout succès par son statut, toute beauté par sa tendance, et tout plaisir par le regard des autres. Elle avait naturellement fini dans la publicité, le nec plus ultra des créateurs de tendances.

Faisant partie des créatifs d'une grande agence new-yorkaise, elle avait vite compris que la première règle à suivre était d'être à contre-courant. Elle suivait donc toute l'équipe de l'agence dans le consensus de leurs opinions contraires, la convention d'une vie bohème savamment mise en scène et se pliait volontiers à l'uniforme requis de leurs tenues déconcertantes. Exprimer sa personnalité commandait du respect, tant que cette personnalité correspondait à celle exprimée par les autres.

L'un de ses sports favoris était de dénicher de nouveaux restaurants à la mode. À New York, rien ne dure et surtout pas les bons restaurants ; en revanche, avoir été au premier rang de leur découverte créait une réputation durable. Karine avait une peur bleue d'en manquer un, et surtout une peur lancinante d'être vue dans un restaurant en train de passer de mode. Dès qu'elle sentait le vent tourner, elle se devait de fuir vers de nouveaux horizons.

Ce processus n'était pas différent de ce qu'elle faisait dans son travail : le nez en l'air, elle était à l'affût des tendances des consommateurs afin d'aider ses clients à être dans l'air du temps et donc à vendre plus. Être « chasseur de tendances » correspondait bien au caractère de quelqu'un qui se devait de les suivre : les repérer était une question de vie ou de mort, comme si en laissant passer une possibilité de suivre, elle était exclue de l'existence. La menace de cet exil de l'archipel tendance était suffisant pour la renvoyer dans son adolescence malheureuse et la rendait capable de tout. Elle pouvait ainsi passer de la joie la plus démesurée au désespoir le plus profond. L'intensité de ces deux états était à l'image de la ville qui était la sienne et le changement pouvait se faire aussi vite que l'hiver se transforme en été à New York, sans passer par le printemps – en une minute new-yorkaise.

À Michel, un tel acharnement semblait superflu. Pour lui qui travaillait sur de grandes transactions, l'importance des événements devait être chiffrée, et ce qui ne finirait pas à la une du *Wall Street Journal* ne méritait pas son attention. Une telle subordination au jugement subjectif d'autrui était difficile à comprendre, car les chiffres étaient pour lui un bien meilleur déterminant d'ordre de grandeur. Néanmoins, il voyait bien que les chiffres suivaient le souffle du vent, et faisait donc confiance à l'instinct de Karine.

Le restaurant que Karine avait choisi faisait donc partie de sa recherche permanente des nouvelles tendances. À New York, il fallait choquer pour attirer l'attention, mais réconforter pour garder les fidèles. De la même façon, il était difficile pour Karine d'éviter l'engagement trop osé, mais en même temps de saisir la tendance tant qu'elle est encore fraîche. Elle était donc à la recherche permanente de la nouveauté, mais cette nouveauté devait s'inscrire dans une certaine sensibilité new-yorkaise, dont Karine avait appris à déchiffrer les signes et s'amusait à prédire les caprices. D'abord, un mélange était toujours apprécié, mais il devait amener des saveurs opposées et inattendues. Brésilien et japonais comme chez Sushi Samba, désormais un classique puisque présent sur la scène new-yorkaise depuis plus d'une décennie. Scandinave et chinois, français et vietnamien, péruvien et asiatique – l'étonnement du palais était un point clé de l'expérience.

C'était comme si les saveurs familières, les voyages proches et les joies simples ne pouvaient plus réveiller les sens blasés des New-Yorkais. Avec la vitesse, venait le goût de la surprise ; pour s'arrêter dans la course, rester bouche bée était de rigueur.

Pour Karine, le choix des restaurants à la mode était devenu un style de vie. « Rien que ça ? », s'amusait-elle à lancer. Il en fallait plus pour la faire sortir, et encore plus pour la faire sortir de ses réserves et avancer un jugement. De son enfance dans le Midwest, elle avait développé une hantise de la moyenne et de l'habitude – les repas de famille étaient toujours dans le même restaurant, chaque triste personnage de son enfance avait des goûts bien définis et très ancrés, de sorte que les serveurs dans leurs restaurants préférés savaient d'avance anticiper leurs désirs et commander, avec un sourire de mansuétude bénévole, leur plat fétiche. (Karine se demandait parfois si une telle fidélité des goûts n'était pas la recette de succès principale de ces restaurants si tristes dans leur décor et si modestes dans leur cuisine, mais se vantant de serveuses riantes qui connaissaient les prénoms de tout un chacun et dispensaient les mêmes blagues avec la régularité d'un repas de fast-food, toujours suivies de rires polis et réconfortants.) En effet, la consistance était l'un des facteurs de choix dans la sélection d'un restaurant – ainsi que la vie elle-même dans le Midwest, dans toute sa prévisibilité monotone.

Quand Michel entra, le restaurant était en pleine animation, une sorte de pagaille contrôlée où tous les mouvements étaient dirigés par un code secret. Contente de voir Michel à la fin de la journée, Karine ne put néanmoins pas s'empêcher de noter qu'il commençait à accuser la fatigue. Sa verve d'autrefois n'était plus là, et il était de plus en plus difficile de garder son attention pendant la conversation. Karine avait mis cette dissipation sur le compte du stress du début, évitant ainsi de se faire du souci ; il s'habituerait vite à son nouveau rythme de vie. Elle le voyait de moins en moins et la présence de son souffle le matin, ses remarques ironiques commençaient à lui manquer. Mais ce manque était compensé par le plaisir d'annoncer dans les conversations mondaines ce que faisait son mari.

C'était comme si, peu à peu, quelqu'un tirait Michel loin d'elle d'une corde invisible : même les rares moments de sa présence physique n'avaient plus aucune intensité. Un jour ne signifiait rien, mais deux jours, puis trois, ces « absences en présence » s'accumulaient, comme si une rivale plus envoûtante le laissait sans force. Ce n'était même pas les coups de fil qu'il était obligé de prendre pendant le dîner, ou encore sa compulsion maniaque à toujours lire son Blackberry. Les e-Mails arrivaient à peu près toutes les 10 minutes, un peu moins souvent plus tard dans la soirée. Karine en était à être contente que les messages soient annoncés ; pires étaient les soirées où Michel lui déclarait d'un ton inquiet : « La messagerie d'annonce ne marche pas... », pour se pencher sur son cher instrument et vérifier toutes les trois secondes s'il avait reçu un message. Ou encore pire : « Je dois vérifier si la messagerie d'annonce marche... » Bon sang, le monde ne va pas s'arrêter, ne pouvait s'empêcher de penser Karine. Mais faire cette remarque à voix haute serait démentir le sens même du travail de Michel : son importance sans égale, l'immédiate urgence imposée par son métier.

À quoi bon cette comédie, en était à dire Karine. Valait-il mieux simplement aller dormir ? Après tout, le sommeil avait une utilité économique supérieure, puisqu'il affecterait sa performance et donc sa rémunération future. Tout ce rituel compliqué de choisir un restaurant, d'obtenir une réservation (tâche elle-même régie par un code compliqué – le restaurant prétend ne plus avoir de places, on prétend être quelqu'un et les deux prétendent poliment de croire l'autre), choisir sa tenue, trouver un taxi à l'heure de pointe, tout ça pour s'ennuyer face à un mari qui lit ses e-Mails. Au moins, raconter ce dîner à ses collègues, avec son opinion tranchante sur le restaurant, renforcerait sa réputation de chasseur de tendances.

Pire, les pensées de ses transactions, des relations avec ses chefs et ses collègues continuaient à lui donner des rides sur le front, même quand il arrivait à s'arracher à ses e-Mails. Son regard devenait de plus en plus vague, comme noyé dans l'eau, plongé dans ses pensées, absent de l'instant présent. Son visage devenait de plus en plus âpre, durci, tourné vers lui-même. Il ne connaissait plus que deux états d'esprit : focalisé sur son travail avec l'intensité d'un prédateur sur sa proie, excluant le reste du monde de son regard comme si rien d'autre n'existait, ou alors une dissipation totale, fatigue absolue, absence que seulement un sommeil long et profond ne pourrait apaiser.

Karine était jalouse de l'intensité de cette drogue de travail avec laquelle elle ne pouvait pas rivaliser. Les moments de complicité qu'ils avaient pu connaître ensemble, le simple bonheur de partager les expériences de la vie – tout s'était évaporé. Il ne lui restait plus qu'une statue de mari, rarement présent – absent même lorsqu'il était à côté d'elle.

Comment avait-elle pu en arriver là ? Les changements, d'abord imperceptibles, s'étaient vite accumulés. De moins en moins de dîners ensemble, jusqu'à ce que ceux-ci ne soient devenus une exception, une fête à célébrer. Mais l'ambiance de fête n'y était pas – Karine avait toujours l'impression que Michel lui faisait une concession, s'acquittait d'un devoir à remplir le plus vite possible avant de vaquer enfin à des occupations d'une vraie importance. C'était comme si Michel préférait toujours être ailleurs, au bureau.

« La vraie vie était-elle toujours au travail ? », se demandait Karine. Les Romains avaient ces deux notions : *otium* et *negotium*, qui étaient censées se compléter pour former une vie équilibrée. Mais en venant à New York, on n'allait pas chercher l'équilibre. Les nouveaux arrivants étaient tous à la recherche des expériences extrêmes ; pour trouver la sagesse et mener une vie de famille, on irait plus tard à la campagne. À New York, le travail se devait de tout manger. Avoir du temps libre était signe de détresse, une condition à plaindre. Selon une formule célèbre mais jamais démentie de Donald Trump dans les années 80, le déjeuner est pour les perdants.

Ce soir-là, s'accordant une soirée d'exception, ils rencontraient un couple de vieux amis, et Karine espérait qu'il resterait suffisamment concentré sur la conversation pour suivre un échange de répliques d'un niveau de complexité moyen, et qu'il ne faudrait pas leur présenter d'excuses pour son état distrait. C'était comme si son mari ne lui appartenait plus, démangé par le démon de la réussite.

La réussite était la seule divinité à laquelle New York croyait sans ambages et sans retenue. Fameusement cynique, la ville s'accordait pourtant un abandon à cette déesse sans nom. L'argent en était le signe extérieur mais pas forcément nécessaire : c'était la croyance en le pouvoir de l'individu de tout décider, tout faire, et tout obtenir. La légendaire dureté de la ville n'était qu'un passage d'initiation, histoire d'établir son statut de ville la plus exigeante de toutes. Derrière, il y avait un idéalisme inébranlable dans sa naïveté. Telle la joueuse de tennis Chris Evert, qui disait qu'en gagnant elle « se sentait belle », les New-Yorkais drapés de réussite se sentaient désirés, reconnus, aimés à la fin. Tels qu'une actrice qui ne peut plus vivre sans applaudissements, ils se retrouvaient ne plus pouvoir vivre sans ce reflet dans le miroir. Dans le succès et la validation extérieure qu'il apportait, ils trouvaient leur raison de vivre. Le vide qu'ils craignaient tant d'écouter à l'intérieur se remplissait du tumulte du succès. Comme le disait brusquement Tim Keller, pasteur qui rassemblait des foules à la recherche d'une autre vérité : « Pourquoi êtes-vous à New York ? Dans votre for intérieur, vous êtes persuadés que quelque chose en vous cloche. »

Karine était convaincue que Michel serait en retard et avait donc pris du retard elle-même. Clara et Bertrand étaient déjà arrivés. Clara, fière de sa fringale décontractée, bohème et chic, travaillait dans le secteur philanthropique, qui était toute une industrie à New York. « Si vous voulez savoir qui est qui à New York, regardez qui donne de l'argent aux grandes organisations caritatives », lui avait un jour dit sa tante. Clara avait retenu la leçon et faisait de la levée de fonds pour une grande institution de charité new-yorkaise.

Bertrand travaillait dans un fonds d'investissement où il faisait de l'allocation d'actifs. D'une intelligente perçante, il avait pourtant fait sa carrière sur son image de gars simple du Midwest américain, aimé par tout le monde et craint par personne. Alors que son métier consistait à faire un sens d'informations et d'événements complexes, ses goûts personnels étaient simples : l'air frais du matin, un bon bol de café au réveil, et des dîners entre bons amis. Il se doutait souvent que la complexité était un voile pour cacher l'ignorance, et son grand talent consistait à présenter sa logique de manière simple et cristalline.

Ce soir-là, fidèle à ses manières franches et directes, il n'attendit pas longtemps pour aborder la question qui le préoccupait. À une question anodine de Karine sur son travail, il répondit d'un trait :

« Il semble qu'il y ait une bulle spéculative dans l'économie. Les Américains ont trop de dettes, et un jour il y aura un assainissement. »

« En effet, les prix de l'immobilier sont affolants », enchaîna Clara qui espérait un jour acheter une petite maison à Brooklyn – Manhattan était d'ores et déjà hors de portée – mais là aussi s'était retrouvée exclue du marché.

« Pourtant, ça continue à marcher très fort », affirma Michel, professionnellement enclin à rester positif sur toute chose. Les pessimistes ne gagnent pas. Garder son optimisme était donc devenu une déformation professionnelle que rien ne pouvait entraver – le perdre serait reconnaître qu'il perdait le contrôle.

Bertrand, lui, préférait au pessimisme la lucidité. Sa philosophie d'investissement était d'un conservatisme rigoureux, même si sa vie ne l'était pas. À l'école des grands investisseurs qu'il admirait, il avait appris la méfiance dans un contexte d'euphorie générale. Ces jours-ci, il trouvait la vision de l'avenir généralement partagée un peu trop rose.

« Les signes avant-coureurs sont là », continua-t-il, calme mais ferme, prêt à être le trouble-fête.

« Tu crois vraiment ? » Clara avait suffisamment de problèmes dans sa vie pour se préoccuper de ce qui pourrait encore arriver ; il ne manquait plus qu'une crise économique. L'optimisme de Michel lui offrait donc une bonne porte de sortie. Dans un geste de défiance, elle leva son verre de Martini : « Faisons donc la fête tant qu'il est encore temps ! »

Longtemps après, Michel allait se souvenir de cette soirée – à la fois dernier rayon de leur existence festive, et présage de ce qui les attendait.

3
Premières rafales

L A LUMIÈRE DU JOUR était claire et pure, une journée de printemps comme on n'en fait plus. Clara s'était réveillée en choc – elle avait l'impression de ne pas pouvoir sortir de sa couette. La couette était lourde et pesait sur tout son corps, comme une valise insoulevable ; impossible de bouger. Que s'était-il passé ?

Clara se souvenait de la soirée de la veille. Elle avait été à un bal de charité pour Enfants Sans Frontières, l'organisation d'aide à l'enfance pour qui elle faisait de la levée de fonds. Hillary Clinton y avait fait un passage avec son sourire à toute épreuve, cela faisait toujours son effet. Clara avait eu une journée de folie, vérifiant que tout jusqu'au dernier détail correspondait exactement à l'image que l'organisation voulait projeter. Elle avait toujours pensé que ce genre de soirées mondaines allait l'amuser. Sa journée – comme sa vie – était tellement remplie qu'il ne semblait pas lui rester une seule minute, une vie tellement pleine qu'elle allait exploser si l'on y coinçait une chose de plus. Comment était-ce possible qu'en ce moment elle ressente ce vide ?

Elle fouillait dans sa mémoire les événements de la veille. La soirée était somptueuse, dans un manoir début du siècle de la Côte d'Or de Long Island, lieu célèbre des soirées des années folles, et qui retrouvait aujourd'hui un peu de son lustre d'antan. La maison et ses jardins magiques avaient appartenu à une grande dynastie new-yorkaise qui s'était retrouvée sans les moyens de les maintenir, et en avait donc fait un musée pour des raisons fiscales. L'ombre de Scott Fitzgerald flottait dans l'air – tout dans cette élégante demeure respirait la démesure, une beauté sans contraintes, une gaîté sans bornes, comme un défi à l'ennui de l'existence humaine. La nuit avait toujours été son domaine de prédilection, et il avait certainement passé bien des nuits à faire la fête dans cette demeure distinguée. Le propriétaire, grand homme d'affaires, était un ami de longue date de Scott et de Zelda. On racontait des histoires scandaleuses sur les fêtes qui se déroulaient ici à l'époque. Rien ne pouvait en effet arrêter Scott, et Zelda son instigatrice – tout était prétexte à un jeu, tout était occasion à pousser plus loin la nature humaine, afin d'explorer jusqu'où précisément on pouvait aller trop loin. L'époque ne connaissait aucune limite, un peu comme la nôtre, ne pouvait s'empêcher de penser Clara, et la nuit offrait un cadre idéal pour ses frasques et expériences – la nuit, on avait l'illusion ne pas être soumis aux lois de la nature humaine. La nuit, avec sa lumière tamisée qui cache l'âge des femmes, avec cette énergie sans bornes qui exclut le besoin de sommeil, on pourrait presque se croire immortels. C'est ainsi que ces fantômes des années folles défiaient toutes les lois humaines et divines – qui saurait ce qui se passe sous la sombre protection de la nuit. Le jour, on était trop encadré par les contraintes de la société ; on ne pouvait se sentir vraiment libre que la nuit. Tels des voleurs de la vie, la nuit, tout leur était permis.

Les gueules de bois du matin, elles, étaient amères, de même que le coup de réveil causé par la crise de 1929. Ces années exhumaient toujours pour Clara une odeur enivrante, faite d'insouciance sans pareil et d'exubérance sans limites. Fascinée par leur liberté, elle aspirait un peu à les revivre. L'époque où elle vivait lui offrait de bonnes occasions. Elle espérait seulement que cette opulence ne se solde pas par une crise de l'ampleur de 1929.

Ce soir-là, le champagne coulait à flots ; d'énormes bouquets de fleurs venus de la propriété offraient de la discrétion aux invités en mal d'intimité. On venait en effet à ce genre de soirées pour s'y montrer, mais on passait son temps à s'y dissimuler. Des sculptures de glace, commandées à un jeune artiste de talent, ornaient chaque salle, et rappelaient aux invités d'apprécier chaque moment de cette soirée qui célébrait si bien le provisoire et la beauté passagère de l'instant. Un chef de sushis modelait ses créations une à une sous les yeux des invités, qui croquaient ces petites œuvres dès qu'elles étaient prêtes. Clara s'était dépassée dans l'organisation de la soirée – un air de luxe très années folles flottait sur la demeure, qui semblait s'offrir aux invités avec un air d'ironie nonchalante et détachée. Elle en avait vu d'autres, et ce qui leur était arrivé par la suite.

Rencontre après rencontre, Clara pouvait à peine se souvenir des prénoms des personnes avec qui elle parlait. Son travail était de cultiver de potentiels donneurs de fonds – les repérer, les amener à des soirées telles que celle-ci ; bâtir une relation – et surtout, à la fin, d'éliciter des donations. Elle appréciait réellement les personnalités qu'elle rencontrait – et pourtant, la force de ses relations, la qualité de son travail se mesuraient à la fin par les dollars générés.

Quand elle avait commencé son travail, avec un brin de naïveté, elle se souvenait qu'il lui arrivait de se perdre dans une conversation, d'en apprécier l'humour. Elle se souvenait même d'avoir eu la rare satisfaction, à quelques reprises, d'avoir l'illusion de comprendre l'expérience de l'autre. Très vite, pourtant, la joie se dissipait – une collègue avec plus d'expérience l'avait prise à part après l'une de ces soirées en lui déconseillant des conversations trop longues qui ne se terminaient pas par un chèque.

« Ton temps est ta ressource la plus précieuse, à toi de l'investir avec précision », lui expliquait Maribel, grande dame de la levée de fonds new-yorkaise. Ses cheveux gris ornaient son visage aux traits réguliers, presque romains, tels une couronne – elle régnait en effet sur ce petit monde qu'elle savait mener à la baguette.

« Mais je fais simplement mon travail », avança Clara. « Je construis des relations, j'essaie de mieux connaître des donateurs potentiels. »

« Tu ne connaîtras jamais suffisamment le tout-New York », lui coupa la parole Maribel. « Et, encore moins intéressant, ceux qui voudraient en faire partie. Tu dois te concentrer sur ceux qui te rapportent le plus, et évaluer très vite ceux qui pourraient en faire partie. »

Ces jours-ci, quelques années plus tard, Clara pratiquait l'autocensure d'une main de maître – l'art de terminer une conversation dès qu'elle savait qu'elle ne menait nulle part ; l'art d'échapper à une étreinte si elle la croyait sans lendemain. Plongée dans une conversation, elle se prenait à faire un calcul mental de sa valeur éventuelle.

Curieuse métaphore de la vie moderne, pensait-elle toujours : elle était dans un rôle de vente pour une organisation pratiquant la charité. Aide et compassion d'un côté, vente et performance de l'autre. Très new-yorkais.

C'était le paradoxe même de sa vie : elle avait voulu, très jeune, donner un sens à sa vie ; rien ne semblait plus naturel que le secteur caritatif. Rien ne la sauverait, sinon de se plonger dans le malheur des autres ou en tout cas d'aider d'autres à le faire. Une façon d'échapper à sa propre condition, en quelque sorte. Elle se noyait dans la vie mondaine new-yorkaise comme on noie son malheur dans les Martini.

Pourtant, la réalité de son quotidien était bien différente – peu à voir avec ceux qu'elle voulait aider, et beaucoup avec ceux qui pouvaient aider. C'était avec eux qu'elle avait le plus à faire, et ce sont leurs besoins qu'elle passait son temps à comprendre. Elle se motivait en pensant au résultat final ; mais la réalité de ses actions en était tellement éloignée. Parfois, elle se prenait à penser que vendre autre chose lui apporterait plus de compensation et donc de satisfaction – le quotidien de ses journées n'en changerait que marginalement.

Elle avait aussi l'impression, elle qui voulait tellement faire une différence, de n'être qu'un rouage dans une énorme machine qui marchait avec ou sans elle, et pas forcément dans le bon sens. Peut-être était-ce le fait qu'elle était tranquille dans son bureau, sans aucun contact avec la souffrance immédiate et ceux qui souffrent. Dans l'univers feutré des bureaux des grandes organisations caritatives aux adresses prestigieuses, la souffrance semblait aussi éloignée que les pas étouffés par un tapis. Dans les fêtes somptueuses qu'elle organisait, pleines de stars et de dignitaires repus de satisfaction, tout semblait toujours aller pour le mieux dans le meilleur des mondes. Le malheur semblait un accident ou un oubli fortuit, comme une fleur qui tombe d'un bouquet mal ficelé. Rien d'impossible à arranger avec un peu d'attention.

Peut-être était-ce le cynisme de participer de trop près aux jeux d'intérêt et d'échanges de faveurs. Elle était consciente que gérer une organisation était nécessaire pour mener à bien les bonnes œuvres, et que faire du développement – euphémisme pour la levée de fonds – était nécessaire pour gérer une organisation. Pourtant, les négociations qui faisaient partie des stratégies de levée de fonds lui paraissaient souvent être un jeu en soi, dont le sens n'était défini qu'a posteriori. Sa vie, qu'elle croyait être reliée par un objectif commun, paraissait faite de deux extrêmes :

d'un côté, un objectif louable, certes, mais quelque peu abstrait et sans grande présence dans la vie ; de l'autre, une vie certes bien remplie mais sans grande distinction intérieure.

Dans cette vie qu'elle avait imaginée être régie par de grands objectifs, elle se sentait aussi toute petite par rapport à l'énormité des problèmes auxquels elle se confrontait. On avait l'impression qu'elle ne prenait qu'une goutte d'une tasse de malheur qui se remplissait de nouveau. Les organisations avec lesquelles elle travaillait, et la sienne propre, n'avaient d'habitude affaire qu'à un aspect des problèmes qui lui semblaient importants. Aucune solution n'était en vue, et Clara n'avait pas l'impression d'y contribuer. Elle essayait de se persuader que chaque cas individuel valait l'effort, mais ne pouvait pas s'empêcher de ressentir son effort comme futile. La monnaie de son industrie était l'ego – l'ego des donneurs de fonds, qui préféraient acheter leurs indulgences avec les fruits de leur réussite plutôt que de se confronter directement aux problèmes qu'ils disaient vouloir résoudre. L'ego des directeurs d'agence, pour qui leur poste était une position sociale à monnayer. L'ego de ceux qui voulaient se faire voir, impliqués dans une cause à la mode. Un jeu d'ego sans fin, dans un secteur régi par l'altruisme.

Comme un bon ami avait dit à Clara quand elle avait choisi sa profession : « Le jour où l'on commence à travailler pour une fondation est le jour de votre dernier mauvais repas et de votre dernière conversation honnête. »

Toujours est-il que la réalité de ses journées était d'être charmante – à l'égard de ceux qui lui apporteraient le succès en lui donnant du financement. À la soirée, pendant qu'Hillary Clinton se faisait attendre, elle discutait avec quelques banquiers qui ne portaient qu'un intérêt marginal aux thèmes de l'enfance, mais un vif intérêt à la possibilité de se faire des relations utiles à leur carrière.

Tout à coup, elle aperçut Alyson, figure énigmatique du monde philanthropique avec qui elle essayait de nouer contact depuis longtemps. L'interlocuteur de Clara venait de s'engager dans une phrase qui ne semblait pas avoir de fin – Clara espérait qu'il devrait reprendre son haleine. Elle était sûre qu'elle aurait pu quitter la scène et dire quelques bonjours avant la fin de cette phrase, mais la politesse la retenait.

Alyson avançait dans la salle pleine de monde douce-ment, consciente de son influence et du pouvoir que sa réus-site lui apportait. Elle n'aimait pas les soirées mondaines. Quand on l'approchait de trop près et qu'on montrait trop de sollicitude à son égard, elle se sentait mal à l'aise, comme si quelqu'un essayait de s'incruster dans sa vie. Elle se sen-tait mieux indépendante et libre – l'isolation était pour elle une forme de protection. Après tout, se disait-elle, elle avait toujours réussi toute seule, sans l'aide de personne. Elle portait sa fierté de réussite comme une forme de bouclier.

Alyson, issue d'une famille simple dans une petite ville du Midwest, aimait survoler mentalement la distance par-courue depuis sa naissance. Sa plus grande œuvre était sa propre vie. Des études solides sans être illustres lui avaient permis d'obtenir une position dans une banque d'affaires. Impossible de travailler avec plus d'acharnement, de passer des nuits plus longues au bureau – elle s'était accrochée à cette chance comme personne. Sa discipline et sa morale de travail l'y avaient aidée – quand elle avait une ligne de mire en tête, rien ne pouvait lui résister.

Et pourtant, une fois tous ses objectifs atteints, un vide étrange s'installa dans sa vie, toujours remplie jusqu'au bord. C'était la chasse qui l'intéressait par-dessus tout – elle avait appris à calmer toutes ses émotions pour guetter sa proie, tel un chasseur capable de calmer jusque-là son souffle pour ne pas se faire remarquer. Elle avait fait un pari avec elle-même – sa vie ne serait que partie remise, et elle pourrait vaquer à ses occupations une fois sa fortune faite. Maître dans l'art des négociations, elle avait un accord avec le temps et menait sa vie d'une main ferme.

À force de presser toute émotion de sa vie, plus rien ne lui en était resté. Maintenant qu'elle était arrivée au but, elle en venait presque à regretter le temps où elle était engagée à fond dans la bataille, où elle n'arrivait pas à relever la tête. Sous pression, en se coupant en quatre pour arriver à terminer son travail à temps, en négociant avec les adversaires les plus durs et les plus réputés, elle en oubliait la vie et la mort – ultime illusion d'immortalité.

Aujourd'hui, sa fortune faite, elle se prenait à être nostalgique de ces temps d'oubli. Concentrée qu'elle avait été sur le but à atteindre, elle s'était oubliée elle-même. Une fois qu'elle était revenue à elle-même, elle avait découvert qu'il n'y avait plus rien à quoi revenir – sa vie était inexistante. Sans famille ni enfants, sans amis mais avec un réseau de relations utiles, elle trouvait peu de goût à la vie.

Ce qui l'étonnait le plus, c'était l'absence de motivation. Elle qui avait toujours été la reine de la motivation, plus rien ne l'intéressait. Elle avait toujours voulu atteindre tous ses buts – et aujourd'hui elle n'arrivait plus à en trouver. Ironiquement, son objectif serait-il maintenant devenu de trouver un autre but ? Lors de ses voyages au Tibet, elle se souvenait d'avoir été frappée par une phrase lâchée par un autre voyageur, qui venait étudier le bouddhisme. Sa réaction l'avait étonnée – l'expression était une lapalissade : « Le voyage compte plus que la destination finale. » La seule explication était que le plaisir du voyage seul était hors de sa portée.

Elle qui croyait que le temps trichait, qu'il s'était soustrait à leur accord – réussite d'abord, plaisir après. Dans l'un des rares moments où elle se sentait presque enfantine, elle refusait de comprendre pourquoi le temps ne respectait pas son côté de l'accord, alors qu'elle avait respecté le sien scrupuleusement. Il ne restait plus rien de la vie en elle – juste la volonté tenace, ossifiée d'atteindre ses objectifs.

Seule dans son château à l'extérieur de New York, elle regardait la pluie tomber. Le château était toujours mal chauffé – peut-être la revanche des vieilles maisons qui n'aiment pas qu'on leur impose sa volonté. Le froid lui pénétrait les os, à l'image du froid qui régnait dans sa vie. Fatiguée de tout, elle ne ressentait plus aucune envie. Comment ne pas se retrouver heureuse lorsque l'on a obtenu tout ce que l'on a désiré ? Alors qu'elle était certaine que peu de choses pourraient lui échapper, c'était la capacité même de désirer qui semblait être hors de son pouvoir.

Le secret du désir était difficile à percer. Un sentiment de malaise commençait à la narguer – c'était comme si, ayant saisi et apprivoisé la surface de la vie, elle en avait laissé passer le secret.

Comment pouvait-elle être à ce point prisonnière de son passé ?

À l'aise financièrement, elle considérait n'avoir plus rien à prouver. Sa vie avait été jusqu'alors une éternelle recherche de preuves, et elle avait finalement toutes ses certitudes. Elle croyait se sentir bien dans sa peau, à l'aise avec ce qu'elle était devenue, comment était-ce possible que le bonheur lui échappât ? Elle était résolue à le dompter comme elle avait dompté d'autres défis.

Trouver un nouveau but à atteindre était devenu sa nouvelle obsession. Le calme de son château au milieu de la campagne commençait à lui peser – rien ne la distrayait de la poursuite de son nouveau but ; elle n'était plus limitée par l'argent et avait toujours voulu éviter les limites imposées par sa famille. Pourtant, à l'époque de sa bataille envers et contre tous, quand personne ne croyait en elle, effrénée dans sa volonté de prouver ce qu'elle pouvait accomplir, elle se levait tous les matins le feu dans les tripes.

Distraite, Alyson jouait mentalement des possibilités comme on tasse un jeu de cartes. Les poursuites académiques l'intéressaient peu – d'un esprit plutôt pratique, elle avait toujours trouvé que la poursuite du savoir était un précurseur – peut-être une précondition, même si elle en était déjà moins sûre – de la réussite, et non pas le contraire. L'éducation, souvent attirante pour ceux qui aiment transmettre leur savoir et leur expérience, lui paraissait une affaire utile mais non essentielle – en effet, si elle avait pu réussir, venant de rien, pourquoi pas d'autres ? Ce serait peut-être non l'éducation qui leur manquerait, mais bien la volonté.

La science, entreprise certainement louable, n'était pas son domaine et donc n'était donc pas un champ propice pour ses efforts, puisqu'elle ne saurait y imposer son sceau. L'art la fascinait davantage – mais elle voyait dans le monde artistique les mêmes jeux, intrigues et conflits d'intérêt qu'elle connaissait si bien dans le monde des affaires. Passée pourtant maître dans cet art, elle en était presque choquée et se refusait à se plier aux mêmes règles dans un domaine qu'elle voulait plus pur. Et encore fallait-il avoir du talent.

Elle avait donc vu dans les mondanités philanthropiques un nouveau champ de chasse où mettre ses ambitions à l'ouvrage. Pas très original, ne pouvait-elle s'empêcher de penser. De sa part, on aurait pu s'attendre à plus. La philanthropie est donc devenue son nouvel alibi face à la vie.

Toutefois, rien ne transparaissait quand elle entrait dans une salle – son visage toujours lisse, impeccablement habillée et toujours un peu distante. Ce monde avait pour elle une claire hiérarchie – très peu de gens l'impressionnaient, et elle attendait des autres une révérence sans ambages. Comme toujours, elle s'était fait une vision du monde très structurée.

C'était donc à une star que Clara voulait adresser la parole ce soir-là. Elle essaya de s'approcher d'Alyson en faisant semblant de parler à quelqu'un qui ne serait pas loin, mais Alyson était constamment tiraillée d'un groupe à l'autre et s'éloignait de plus en plus de Clara. Sa quête d'engager la conversation risquait de s'éterniser – la soirée avançait de plus en plus et Clara n'avait aucune prise sur sa cible. Alyson continuait à régner en reine incontestée de la soirée, position qui n'était pas pour lui déplaire, plaisir qu'elle faisait un point d'honneur de dissimuler sous un air de distance distinguée.

Clara se sentait de plus en plus isolée dans sa quête d'introduction, mauvais signe pour celle qui était censée être la reine de la soirée. Même si une introduction par quelqu'un de plus proche d'Alyson ou une remarque au passage, l'intégrant dans la même conversation, auraient été plus efficaces, c'était le moment ou jamais d'approcher Alyson.

« Bonsoir, susurra-t-elle avec un grand sourire. Nous avons fait connaissance au bal annuel de la Société des amis de l'Asie. »

« Ah, bien sûr, répondit Alyson, faisant semblant de se souvenir. Clara, n'est-ce pas ? »

Sa capacité à se souvenir des prénoms lui permettait de donner un gentil pied de nez à ses interlocutrices, surtout si elles, dont c'était le métier, avaient un trou de mémoire.

Trop facile, pensait Clara. Qui allait oublier le prénom d'Alyson ? Elle se savait l'objet de toutes les attentions.

Clara savait qu'elle n'avait que quelques minutes pour garder l'attention d'Alyson ; elle se mit donc à la tâche. Son discours, perfectionné jusque dans ses intonations au fil des années, était fait pour être répété sans avoir l'air de l'être. La clé était de concentrer sa propre attention sur ces paroles connues par cœur ; sombrer dans l'automatisme serait fatal.

« Clara, l'interrompit Alyson, je connais bien votre organisation et l'importance du travail que vous faites. J'ai été contactée plusieurs fois par vos prédécesseurs afin de vous accorder mon soutien. J'en ai parlé encore l'autre jour à Carlos Arepa... »

Clara ne pouvait pas ignorer Carlos Arepa, le fameux investisseur et fondateur de l'un des plus grands *hedge funds* du monde.

« Carlos me parlait de problèmes dans vos opérations. Il semble que votre structure de coûts ne soit pas aussi bonne que celle des autres organisations caritatives ? »

« Nous sommes parmi les plus efficaces », essaya de rétorquer Clara.

Alyson n'écoutait plus. Quand elle s'était fait une opinion, c'était trop tard.

« Carlos me disait qu'il y avait des problèmes d'allocations de ressources dans vos programmes en Afrique. En tout cas, telle est la perception dans le monde de la philanthropie. »

Clara eut à peine le temps d'avaler son souffle et encore moins de formuler une réponse ; Alyson continua d'un trait.

« Il y en a qui commencent à redouter une bulle immobilière. Il est donc temps d'évaluer ses actifs ; chaque nouvelle idée est passée au crible. La première chose que l'on regarde est bien sûr le ratio de fonds levés par rapport aux coûts administratifs, afin de voir quelle est la proportion qui va directement à la cause. Et il semble que vous ne soyez pas à la hauteur. »

Clara ne savait comment réagir. Elle savait qu'une réorganisation en Afrique avait été annoncée, mais ignorait que l'état des choses fût aussi aléatoire. Des rumeurs de ce genre, dans le domaine public, risquaient de frapper son organisation au cœur. À peine tenta-t-elle d'ouvrir la bouche pour formuler une réponse qu'Alyson disparut, bredouillant des excuses rapides, emportée par le tourbillon du prochain groupe d'interlocuteurs qui essayaient de capturer son attention.

Clara s'arrêta d'un trait. Que faire ? Elle avait bien senti que ses efforts récents de levées de fonds battaient de l'aile. Cela faisait partie du métier, se disait-elle : on y mettait tout son cœur pour se voir refuser des donations, jour après jour. Mais un doute plus sombre la narguait, l'empêchait de se tourner sans scrupules vers la prochaine victime de ses tactiques de vente : et si c'était le début de la fin ?

Elle avait connu un succès phénoménal et se croyait reconnue dans sa profession. Et pourtant, elle ne pouvait se défaire de l'idée lancinante que sa réussite risquait d'être emportée par le vent de manière aussi fulgurante que ce qu'elle avait pu construire. Elle qui avait tout réfléchi, toujours défini sa stratégie, qui croyait avoir ainsi un fondement solide, était-elle en train de construire sur du sable ?

Qui plus est, Clara ne comprenait que trop bien comment se faisaient et se défaisaient les réputations. Sa hantise était que les problèmes de sa société ne se répercutent sur elle – en tant que membre assez senior de l'équipe de gestion, elle serait tenue responsable de tout ce qui arriverait, et une catastrophe organisationnelle pourrait bien signifier la fin de sa carrière. Préoccupée qu'elle était par l'avis des autres, il était difficile pour elle de distinguer la perception de la catastrophe, si une telle perception devait déjà exister, des vraies difficultés de gestion.

Elle s'imaginait déjà le pire scénario. Bien sûr, il faudrait garder contre mauvaise fortune bon cœur, rester optimiste jusqu'au bout, contrer les mauvaises langues. Toutefois, Clara savait que ce genre de catastrophe ne pouvait arriver qu'une fois dans une carrière. Il était inévitable que le succès ou l'échec de sa société se reflète sur elle. Les remarques d'Alyson l'avaient donc piquée comme une attaque personnelle, comme une faute sans pardon qu'elle aurait commise à bon escient.

La fin de la soirée était sans importance. Des images filaient devant elle sans fin et sans signification quelconque. Clara était assez professionnelle pour pouvoir s'acquitter de son travail comme par automatisme, et ce soir-là la machine avait dû être mise en marche. Le genre de fin de soirée qui ne lui laisserait aucun souvenir.

De retour chez elle, elle poussa un soupir de soulagement. Peut-être une chance de clarifier les choses. Le lendemain, au bureau, elle engagerait une discussion sur ce sujet délicat. Il faudrait le présenter comme un problème de relations publiques et non d'organisation, de peur d'alerter les ego sensibles.

Il y avait donc sinon une solution, du moins une chance d'avancer. Pourquoi alors cette peur et ce poids sur ses épaules ?

Un désespoir au cœur et les cheveux en bataille, elle s'effondra en espérant que le matin porterait conseil. Pourtant, la lumière crue du matin ne donnait aucune indication, mais noyait sans pitié tout espoir de Clara. Une lumière acerbe et sans appel. Finalement, la lampe qui éclairait ses soirs était plus lucide.

Sa détresse semblait immense, comme si le monde entier allait s'écrouler. Était-ce une prémonition ou une lacune personnelle ? Le monde autour d'elle continuait à tourner en rond comme si de rien n'était.

Ses problèmes sembleraient pourtant possibles à résoudre, pour ne pas dire mesquins. Des problèmes au bureau, des difficultés à atteindre le quota ambitieux qu'elle s'était fixée ? Rien de dramatique. La société où elle travaillait risquait-elle de s'écrouler sans financement ? Possible dans l'absolu, mais enfin difficile à imaginer en pratique. L'une de ces possibilités que l'on peut garer dans un coin du cerveau car on n'y croit pas vraiment. Un monde au bord de l'abîme ?

Les restes de lucidité du soir précédent avaient maintenant disparu. Elle était de plus en plus embrouillée.

4
La chute

LES MATINS AMERS sont toujours beaux à New York. Le matin du 11 Septembre avait été d'une beauté difficile à oublier, ternie par l'horreur et le désespoir. Cette beauté particulière des journées d'automne chéries par tous les New-Yorkais. La lourdeur de la chaleur écrasante de l'été s'était transformée en légèreté, apaisée et lumineuse. La rentrée pleine de préoccupations ne s'était pas encore installée, et les New-Yorkais arpentaient les rues avec une insouciance encore estivale. Il semblait que rien ne pourrait arriver dans ce monde si bien établi. Une ville qui semblait croire sans réserves à sa propre immortalité.

Le matin du 9 septembre 2008 n'était pas sans ressemblance. Un air un peu plus frais, et un peu moins de gaieté dans l'air. Michel était en retard et ne pensait qu'à sa réunion matinale, qui risquait de commencer sans lui. À l'arrivée, une rafale de vent le poussa vers la porte comme pour accélérer les événements. Le hall d'entrée fourmillait comme d'habitude de banquiers empressés. Ciblant l'ascenseur du regard comme pour épargner chaque minute, Michel fonça en avant sans faire attention à personne.

Pourtant, ce matin-là, les fronts se faisaient un peu plus ridés, les sourires un peu plus forcés, et les regards un peu plus résolus. Si de l'extérieur tout semblait être comme d'habitude, un regard perspicace aurait pu noter une nervosité qui planait sur la foule déambulant dans la rue à 8 h du matin, à Wall Street comme à Times Square, en plein Midtown, le centre de la ville où se trouvait Lehman Brothers.

La foule de Wall Street était un royaume à part, une belle démonstration des limites de l'*homo economicus*, pourtant modelé sur eux. Professant une croyance inébranlable dans la rationalité humaine, mais exhibant pourtant des comportements irrationnels, codes et superstitions dignes d'une ancienne tribu. Des gestes accomplis de manière quasiment rituelle car censés porter chance sur le marché. Des objets talismans portés par des traders. Les stratégies pour dompter la bête des marchés faisaient abondance. Ainsi de la statue d'un taureau, apparue subitement à Wall Street à la suite du crash boursier de 1987. Le sculpteur avait pour intention avouée de soutenir Wall Street, le moteur économique de New York, et pour intention inavouée d'orchestrer ainsi une campagne de publicité, pari d'ailleurs fort réussi. Craignant d'attirer la malchance, personne n'osait enlever la statue, symbole désormais établi de la hausse des marchés.

Ce matin-là, c'était plus qu'un nuage d'incertitude qui planait sur la tribu. Personne ne voulait être le premier à crier au loup et à confondre le subtil équilibre du « faire-paraître » qui faisait le fondement du fonctionnement des marchés et donc du bien-être de tous. Cette subtile dynamique de groupe risquait de se retourner contre elle-même dès que les premiers signes de la baisse se feraient sentir – comme dans un jeu de chaises musicales, personne ne voulait être le dernier à se retirer avant l'avalanche qui arrivait. Tels les prisonniers de la théorie des jeux tant appliquée aux investissements, les acteurs des marchés se livraient donc à un jeu subtil fait autant de psychologie, de nuances de tons et d'humeurs changeantes que de facteurs fondamentaux sur lesquels ils fondaient leurs analyses et conclusions.

Michel se trouvait toujours, dès qu'il pénétrait dans l'immeuble de la banque, pris au jeu : le flux ininterrompu des banquiers et traders, tous en costumes gris ou bleu marine, qui entraient avec lui, semblait porter avec lui une dynamique propre, d'une force d'attraction telle que Michel ne pouvait s'y soustraire. Même si sa perspective était un peu différente, il s'était vite retrouvé membre à plain-pied de la meute, et son cœur battait au rythme imposé par la chasse. Il trouvait qu'il était moins motivé que d'autres par le chiffre de son bonus, ce chiffre magique qui régissait la vie et déterminait la valeur de tout un chacun. Il se réjouissait moins que Karine à l'idée d'aller se montrer dans les restaurants à la mode, et pourtant il l'accompagnait dans sa chasse aux dernières tendances. Ce qui comptait, c'étaient moins les choses en elles-mêmes que ce qu'elles signalaient sur son identité. Le plaisir du repas comptait moins que le poids de l'histoire sur le restaurant, et finalement les plaisirs que pouvait procurer l'argent le touchaient moins que la fierté de l'avoir gagné.

De même, alors que Michel disait baser ses décisions sur l'analyse rationnelle, dans sa vie comme dans son travail, il se sentait subtilement pris au jeu de l'humeur changeante des marchés. La ruche était préoccupée, cachant sa nervosité derrière un affolement d'activité, censé prouver que tout était comme avant. Chacun voulait se montrer très pris et donc important, marchant dans les couloirs d'un pas rapide et décidé, pas une minute à perdre, même en disant bonjour aux collègues.

Ce matin-là, une nouvelle inattendue préoccupait les esprits : la Banque de développement coréenne avait arrêté les négociations sur une prise de participation éventuelle dans Lehman Brothers. À 13 h, l'action de la banque, déjà battue par la tempête, avait chuté de 43 % de plus.

L'angoisse réelle, palpable dans l'immeuble, se réverbérait dans le monde virtuel – par le biais de Twitter et de Facebook, plus personne n'ignorait ce qui se passait. Les états d'âme des employés étaient projetés à qui voulait l'entendre.

« À quand la lumière à la fin du tunnel ? », avait tweeté Matt, un ami de Michel de la salle des marchés. Matt était un mordu des nouvelles – sa première impulsion en se réveillant le matin était de connaître les nouvelles du jour. Les derniers développements des marchés asiatiques lui étaient plus vitaux que l'air à respirer ; coupé des nouvelles, il se sentait suffoquer, physiquement. Il était connu parmi ses amis pour avoir conduit une fois six heures d'affilée dans les Andes, en vacances au Pérou, pour se procurer le dernier journal. Ne pas être au centre des fluctuations du marché était pour lui une source de douleur insupportable. Il avait perdu bien des copines à sa passion, les abandonnant au milieu d'un dîner de couple ou un week-end romantique pour aller assouvir sa faim de nouvelles, ou encore en tenant l'ordinateur près du lit. Il avouait que l'écran de son ordinateur lui était plus vital que les bisous du matin, et se souciait peu du caractère passager de ses aventures. Avec ses airs de beau garçon sûr de lui, l'avenir lui souriant, c'était une de perdue, dix de retrouvées.

Les aléas des marchés et des rumeurs étaient donc pour Matt une source d'excitation constante. Il dénichait des nouvelles – ou spéculations – sur ce qui se passait et les envoyait à ses amis, leur demandant leur avis, discutait sur des forums en ligne, était à la pointe de ce qui se disait partout. Michel, toujours pris dans la course contre la montre dans ses transactions, se demandait comment il avait le temps.

Tout à coup, beaucoup de Matt en herbe s'étaient réveillés au sein de la banque – on faisait des conjectures, distribuait des articles, discutait des conséquences. La majorité était consciente de la gravité de la situation, mais pratiquement tout le monde croyait que le gouvernement allait intervenir. L'alternative, à leurs yeux, était une faillite complète du système – et finalement de tout un pays. Il n'était pas pensable que le gouvernement laisse les choses escalader jusque-là.

Certains avaient commencé à chercher ailleurs, pour se rendre compte bien vite que Lehman n'était pas la seule banque touchée. Il y avait de moins en moins de travail au fur et à mesure que le flux des transactions se tassait, et que de moins en moins acceptaient de faire des affaires avec une banque menacée. Mais l'espoir d'avoir plus à faire ailleurs s'était vite évaporé : non seulement les autres banques ne recrutaient pas et avaient du mal à occuper ses propres troupes, mais les nouveaux arrivants seraient les premiers à partir dans les vagues de licenciement qui s'annonçaient. On avait donc le choix entre se croiser les bras chez Lehman et se croiser les bras ailleurs.

Pour des conversations plus mordantes et personnelles, les amis de Michel préféraient le « chat ».

« À quand le prochain Bear Stearns ? », ouvrait ainsi, lors d'une conversation en ligne, un ami qui travaillait pour une banque concurrente.

« Quand ta banque jettera l'éponge », répondit Michel du tac au tac. Il se sentait blâmé pour tous les problèmes du secteur financier, pourtant largement partagés par toutes les banques.

« Bon, retour au boulot. » Son « ami » ne trouvait plus ça drôle.

« Ah, parce qu'il y en a ? », fusa la réplique de Michel.

« Pas chez vous ? » – son ami n'allait pas rater l'occasion d'un retour de balle…

Michel devait apporter des documents au 31e étage, siège du PDG de Lehman Brothers, Richard Fuld. Il avait eu l'occasion de le rencontrer à plusieurs reprises, mais en le croisant ce jour-là, il le trouva méconnaissable.

Richard Fuld, le PDG de Lehman Brothers, était un homme accompli. Il aimait forcer une solution sur les problèmes qui avaient l'audace de se présenter à lui, et ce jour-là, il avait du pain sur la planche.

Il avait jusque-là su obtenir tout ce qu'il avait voulu ; il aimait appliquer son instinct de chasseur à sa carrière, aux femmes ou à ses sports préférés. Il aimait se trouver près de l'antre du loup – les murs de son bureau étaient remplis de photos de lions sauvages qu'il avait pris lui-même en Afrique. Irascible et volcanique, il n'était pas adepte des méthodes douces – si une porte se trouvait fermée devant lui, il était enclin à la forcer plutôt que de passer par la fenêtre. Il était d'autant plus surprenant pour Michel de voir cet homme qui avait toujours réponse à tout se retrouver sur le banc des victimes. « Et voilà », l'entendit susurrer Michel à un collègue en le croisant. « La perception gouverne la réalité. »

Le PDG de Lehman Brothers se plaignait d'être mal compris ? Quelque chose clochait ce jour-là.

Richard Fuld ne se contentait pas d'être le PDG de l'une des grandes banques de Wall Street – son ambition était d'en faire la plus grande, rivalisant avec le roi des rois, Goldman Sachs. Sa vision déterminée de placer Lehman à la tête de ses concurrents l'avait amené à prendre des paris de plus en plus risqués, à mettre de plus en plus de pression sur ses troupes, et à prendre de plus en plus de dettes pour financer ses plans d'expansion. Il connaissait le sentiment de se trouver en face d'un abîme – il avait déjà sauvé Lehman trois fois auparavant. Il ne comprenait pas pourquoi sa chance, qui l'avait toujours accompagné, se retournerait cette fois-ci contre lui.

Il était parti pour bâtir un empire. Comme il ne croyait pas qu'il pourrait tout perdre, il préférait prendre plus de risques que de compromettre ses ambitions. Il aimait s'entourer d'acolytes obligeants, pleins d'admiration pour son charisme et ses succès. Au moment critique, aucune voix discordante ne s'était donc levée pour tamiser ses ambitions.

Non pas qu'il lui aurait prêté oreille. Lui qui aimait les lions, il se croyait indomptable, et il n'était pas prêt à se laisser défaire par ce qu'il croyait encore n'être qu'une tempête dans un verre d'eau.

Il aurait pu faire marche arrière – des portes de sortie s'étaient offertes à lui. Il avait été en discussion avec le légendaire et sage investisseur Warren Buffett, qui avait mis une offre de participation sur la table. Mais en accepter les termes aurait été reconnaître une défaite personnelle – et Richard Fuld était un gagnant. Ses intuitions de gagnant lui avaient bien servi jusque-là, et il ne voyait pas pourquoi son instinct de prédateur devrait le trahir.

Il croyait bien connaître ces moments critiques, quand tout était sur la table. Plus de recul, pas de pensées de défaite. Il fallait foncer dans la bataille, et il était prêt à le faire. En renonçant aux transactions qui auraient fourni du financement à Lehman mais compromis ses ambitions, il avait traversé le Rubicon.

Les ambitions de son PDG étaient pourtant l'une des raisons qui avaient amené Michel à choisir Lehman Brothers parmi les nombreuses offres qui lui avaient été faites à la sortie de son MBA. Son rêve avait toujours été de faire partie d'une banque ambitieuse, en forte croissance – donc beaucoup d'occasions de se distinguer. Richard Fuld était le type de héros que Michel désirait suivre, le type de mentor de qui il espérait se rapprocher.

Richard Fuld n'était pas n'importe qui. Il était largement considéré comme l'un des PDG les plus forts de Wall Street, lui qui avait augmenté les bénéfices de 113 millions de dollars en 1994, jusqu'à 4,2 milliards en 2007. Il ne respirait que par et pour Lehman Brothers. C'était son oxygène, avait dit un ami.

Richard Fuld était le trader par excellence. Paradoxalement, dans son rôle de trader d'obligations, il était connu pour sa maîtrise du risque, avant d'engager sa banque sur le chemin de l'endettement et d'instruments financiers à haut risque. Les instruments que Lehman avait commencé à créer étaient infiniment plus complexes que des obligations classiques – une nouvelle ère sur Wall Street, que Fuld était fier d'avoir ouverte. Il avait aussi orchestré la prise de pouvoir par les traders de Lehman, qui avait été dominé auparavant par des banquiers de la vieille école.

Il avait bâti la banque pierre par pierre et l'avait détruite en deux ans. Ancien champion de squash à la carrure impressionnante et au regard d'acier, il prenait plaisir à intimider ses interlocuteurs – parmi ses collaborateurs, il était connu comme « Le Gorille ». Revendiquant ce surnom, il avait décoré son bureau d'une statue de gorille grandeur nature.

Par rapport à ses employés, Fuld était exigeant et intense. « Je considère que perdre de l'argent est une défaite personnelle », avait-il avoué une fois. « En effrayant ses hommes, il croit leur faire gagner de l'argent », renchérit un collègue. Il faisait partie d'une génération à Wall Street qui utilisait la peur comme outil de motivation. Après tout, la peur l'avait motivé, lui, dès son enfance, et il était persuadé que faire peur faisait partie de son devoir paternel.

Fidèle à cette culture de Wall Street qui se faisait un point d'honneur de rappeler ses origines modestes (sans d'ailleurs nécessairement en avoir – Fuld avait grandi dans une famille de classe moyenne de Westchester), Fuld aimait formuler sa stratégie en termes de combat : « Chaque jour est une bataille », aimait-il dire. « Il faut tuer l'ennemi. Ils essaient de nous tuer, et il n'y aura qu'un gagnant. » Ainsi la meilleure louange que l'on pouvait mériter était-elle celle d'être un tueur.

Peut-être l'une des sources de son ambition et de son appétit du risque était-elle cette peur constante de ne pas être reconnu. Fuld se sentait toujours en danger, Lehman jamais assez reconnu malgré le fait qu'elle était la quatrième banque d'affaires américaine. « On va leur montrer, ils vont regretter de nous avoir sous-estimés », se plaisait à rappeler Fuld. Cette envie de montrer ce qu'il avait dans les tripes l'avait peut-être poussé à prendre des risques inégaux.

Comme le dit l'un de ses proches : « On avait toujours l'impression que si l'on ne lui donnait pas ce qu'il voulait, les choses deviendraient physiques. » Personne n'aimait le contredire, encore moins mettre en question la direction qu'il avait choisie. Calmement et méthodiquement, il avait éliminé tous les numéros 2 qui auraient pu prétendre au pouvoir et entraver ainsi la construction de son empire en friche.

Les réunions des conseils d'administration étaient autant de monologues sur les sujets les plus menus. S'insurger contre la direction générale était une mission suicide. Une fois, un membre du conseil d'administration posait trop de questions sur les résultats d'une division. Fuld l'arrêta net, d'un regard glacial : « Vous avez des couilles pour aborder ce sujet, sachant combien je le déteste. »

Fuld faisait une visioréunion mensuelle pour les employés et mettait un point d'honneur à demander à la fin s'il y avait des questions. Il y en avait rarement. Questionné sur l'action de Lehman en chute libre, à une réunion en juin 2008, il avait râlé : « Allons, je vous ai donné 14 années de bons résultats, j'ai un mauvais trimestre, et c'est ça votre réaction ? » Plus personne n'avait osé le défier.

Ainsi, bien des lieutenants, de plus en plus conscients des risques que prenait Lehman, avaient été poussés de côté. Fuld prenait aussi un malin plaisir à attiser les rivalités internes dont il était l'arbitre, comme par exemple entre la partie américaine de la société, siège de puissance traditionnel, et la partie internationale, qui revendiquait plus de pouvoir en tant que principale source de croissance. Ces tensions allaient se révéler fatales lors de la crise.

Il préférait s'entourer de gens qui lui devaient beaucoup – pas de beaux diplômes ni de stars aux performances éclatantes. Des banquiers moyens. Ce qu'ils avaient en commun était une loyauté sans bornes et une rage de réussir. « Nous avons tous été pauvres, confie l'un d'eux. Et nous avons juré de ne plus l'être. »

Pour continuer à pousser le prix de l'action vers le haut, il fallait toujours délivrer une croissance des revenus, et l'endettement était un outil idéal pour le faire vite. L'exemple de Goldman Sachs, qui avait gagné une fortune au début des années 90 grâce à ses investissements de fonds propres, faisait mouche. « Il faut qu'on soit plus agressifs », avait dit Fuld. La solution à tous les problèmes, qui avait marché tout au long de sa vie. La première leçon de vie impartie aux nouveaux arrivants.

Fuld n'était pas inconscient des dangers de l'endettement. Il avait parlé de fusion avec AIG dès mars 2006. Il voyait Lehman Brothers devenir la branche banque d'affaires de l'assureur, et utiliser la solidité de son bilan afin de donner des emprunts à ses clients afin de financer leurs transactions. Quand AIG refusa, Lehman utilisa son propre bilan afin de financer la dette de ses clients. Fuld considérait que cette démarche était nécessaire dans le contexte de la concurrence avec les banques universelles à la suite de l'abrogation en 1999 du Glass-Steagall Act, la loi qui séparait les activités des banques commerciales et banques d'affaires aux États-Unis. Mais même si Fuld avait vu les dangers de l'endettement – il avait fait le ménage en termes d'emprunts aux clients dès 2007 – c'était le portefeuille d'emprunts immobiliers qui allait faire mouche.

Le 17 mars 2008, un jour après la vente de Bear Stearns, l'action de Lehman Brothers avait chuté de 48 %, alimentant la peur que Lehman serait la prochaine victime de la crise. Inébranlable, Fuld décrocha le téléphone afin d'appeler personnellement les plus grands clients et associés, leur expliquant que Lehman n'était pas Bear Stearns. Sa méthode signature, c'était ce qui avait fait son succès en 1998, lorsqu'il avait réussi à ressusciter Lehman lors de la crise russe. Il était sûr que son caractère imposant et son art de maîtriser ses interlocuteurs lui permettraient d'avoir le dessus sur les marchés en chute libre.

Pourtant, rien n'était aussi simple en ce printemps 2008. L'offre de participation de Warren Buffett fut refusée, les négociations avec d'autres partenaires possibles se heurtèrent rapidement à un mur. Fuld était trop fier de ce qu'il avait bâti pour accepter des évaluations de Lehman de plus en plus basses. La pilule était pour lui trop dure à avaler – comme dans un cauchemar, chaque offre lui donnait le regret de ne pas avoir accepté la précédente, et le mettait dans l'impossibilité d'accepter sans avouer avoir eu tort.

Les candidats défilaient – Bank of America, HSBC, groupes financiers japonais, assureurs chinois. À la fin, l'incertitude de la valeur des créances douteuses avait fini par peser sur toutes les perspectives d'investissement. Malgré l'insistance du Trésor américain pour trouver un investisseur, personne n'était prêt à sauter le pas. La Bank of America, l'un des investisseurs potentiels les plus sérieux, semblait prête à franchir le cap, mais changea de direction quand Merrill Lynch, pris de panique, se montra ouvert à une fusion.

Plus personne ne voulait des actions de Lehman. La récession aux trousses, la valeur des portefeuilles immobiliers de Lehman n'en finissait pas de tomber. La vente d'un cinquième de ses actifs, soit 16 milliards de dollars, ne fit qu'enfoncer le clou : le prix déprimé confirma les soupçons du marché sur la perte de valeur, et il fallait maintenant faire passer ces pertes par le compte de résultats.

Les prises de participation effondrées, il semblait que peu de choses séparassent Lehman de l'abîme. Les créanciers exigeaient plus de sûreté, le coût de la dette augmenta de 500 points. À l'interne, l'angoisse des chefs devenait de plus en plus perceptible, et se transmettait à tous. Les blagues sur le navire en train de couler étaient devenues monnaie courante. Moins concentrés, plus cyniques, les banquiers se réunissaient dans les couloirs afin de partager les dernières nouvelles. Michel se sentait de plus en plus démotivé ; les longues nuits passées au bureau paraissaient avoir de moins en moins de sens.

Le 10 septembre, Richard Fuld faisait une préannonce des résultats trimestriels, une perte de 3,9 milliards de dollars. Il ne mâcha pas ses mots : « Nous savons nous en sortir quand les temps sont durs. Nous sommes en train de mettre cet épisode derrière nous. »

Le lendemain, l'action de Lehman tomba encore de 42 %, jusqu'à 4,22 dollars par action.

Fuld avait lui-même formulé son credo lors d'un discours pour les étudiants de l'université de Pennsylvanie :

« Pour sortir d'une crise, choisissez une stratégie et tenez-vous-y. À moins, bien sûr, d'avoir tort... »

La fortune de Michel n'était maintenant plus que poussière. Il était compensé en partie en actions. Jadis, il se savait millionnaire, avec un portefeuille de plus de trois millions de dollars. Aujourd'hui, sa valeur était tombée à 6 000 dollars.

Le jeu qui préoccupait le plus Michel et ses collègues était de parier si le gouvernement interviendrait. Il était bien intervenu lors de la chute de Bear Stearns, mais avait été critiqué pour l'avoir fait à droite comme à gauche. Fuld avait plaidé son cas auprès de Paulson, secrétaire au Trésor, et de Bernanke, à la tête de la Fed (Réserve fédérale, la Banque centrale américaine). Après toutes les critiques essuyées à la suite du sauvetage de Bear Stearns, ils étaient prêts à jeter l'éponge – il ne fallait plus compter sur l'aide du gouvernement. Ce qu'il ne savait pas, c'est que la nuit du 12 septembre, les négociations avec la Fed tourneraient au cauchemar – aucune des possibilités offertes par Fuld pour gagner du temps ne semblaient désormais avoir d'avenir. Le climat politique était en train de changer, et il n'était pas clair où cela s'arrêterait. La Réserve fédérale voulait donner un signal fort que le gouvernement ne serait pas là pour toutes les banques en détresse.

Pour les participants à cette réunion, il était difficile de faire la part entre l'indignation populaire et les conséquences d'une faillite du système financier, les risques à prendre pour sauver le système et la responsabilité personnelle que chacun porterait par la suite. Il n'y avait pas moyen de satisfaire à tous les impératifs. Leur grande peur était qu'une garantie des actifs toxiques de Lehman, ces actifs dont personne ne voulait, serait une source de pertes pour le Trésor. Ils voyaient maintenant clairement que la crise avait dépassé le stade de la perception, et la sécurité apportée par une garantie de l'État risquait d'être sans valeur si le marché perdait confiance en la capacité du Trésor à faire face à ses obligations.

Les traders, joueurs invétérés, s'amusaient en faisant d'autres paris : combien de temps Lehman tiendrait ; et quelle serait la prochaine banque à la suivre. Le pari le plus osé était d'inclure Goldman Sachs dans la liste des banques à problème. Pourtant, inclure les scénarios extrêmes dans les paris était une manière d'extérioriser l'angoisse. Malgré l'humour noir de ses collègues, Michel espérait dans son for intérieur que ces blagues resteraient dans les annales en tant que monstrueuses exagérations. Bosseur invétéré, sa préférence était de baisser la tête et de travailler, sans trop regarder ce qui se passait autour de lui.

Mais par un matin frais de septembre, ces paris faits avec le goût de la provocation, invoquant des possibilités plus qu'éloignées, étaient en train de devenir réalité.

La veille, Michel avait reçu un coup de fil de Matt, son ami trader. Le week-end avait été agité – tout le monde comprenait les enjeux mais personne ne croyait vraiment que la fin serait si proche. Michel essayait de ne pas y penser ; Karine fermait les yeux consciemment, car elle ne savait pas comment prendre les mauvaises nouvelles – toute son attitude envers la vie devrait être repensée et le week-end n'était pas vraiment le moment de le faire. Leur fortune et leur vie dépendaient de Lehman, et elle avait peur de commencer à imaginer ce qu'ils deviendraient par ailleurs. Même en parlant avec Matt au téléphone, même si son coup de fil un dimanche soir n'augurait rien de bon, elle espérait encore que c'était pour trouver une date pour un dîner entre amis, ou peut-être échanger des ragots sur des collègues de bureau.

Matt semblait sérieux comme il ne l'était pas souvent ; les blagues étaient sa manière préférée de communiquer.

« Tu as vu les nouvelles ? » Sans préambule, il y allait directement. « Ça y est. Lehman est en banqueroute. »

Je crois que c'est un rêve, se dit Michel, tellement cette réalité était hors proportions. Il allait apprendre plus tard que Barclays ne voulait reprendre que les bons actifs, que l'approbation des actionnaires et du gouvernement britannique se faisait trop attendre.

Le destin de cette institution centenaire décidé en quelques minutes. Quelques journées en plus auraient-elles été suffisantes pour tout changer ? On espère toujours avoir plus de temps, comme si ce temps, que l'on gaspille si généreusement quand il est disponible, pouvait changer notre destin. Pourtant, on aime se lever avec l'illusion que cette nouvelle journée sera différente de celle d'hier, et qu'en quelques minutes, journées, années de plus, on pourrait accomplir ce que l'on n'a pas pu faire toute notre vie.

Michel se sentait fléchir, il marchait sur du sable plutôt que sur une terre solide. On était sur un terrain inconnu. Que faire à partir de là ? Comment se protéger ?

Il ne savait pas s'il devait appeler ses amis, refaire son CV, chercher des nouvelles. Matt avait apparemment passé la soirée à surfer sur Internet avec une inquiétude fiévreuse, à l'affût de la moindre nouvelle. Y aurait-il un démenti ? La fin était-elle sans appel ?

Finalement, il décida qu'il serait sage d'aller récupérer ses affaires. On ne savait jamais si le lendemain l'accès serait bloqué.

Il n'était pas le seul à avoir eu cette idée. Lui qui avait l'habitude de venir travailler le week-end, il n'avait jamais vu un tel tohu-bohu. Des dizaines d'employés rangeaient leurs dossiers, reprenaient toutes les photos personnelles, parfums et autres chaussures de rechange gardées au bureau. Certains déchargeaient de leurs ordinateurs les fichiers qu'ils voudraient garder avant que le système ne les bloque le lendemain. Paradoxalement, se dit Michel, les dossiers d'une banque en faillite offraient-ils un standard à conserver ?

Il y avait une sorte de camaraderie, d'esprit de corps. Il fallait une banqueroute pour créer ce sentiment. L'humour noir ne manquait pas, ni les accolades, comme si l'on se faisait les derniers adieux.

« C'est la fin de Wall Street tel qu'on le connaît... », disait un collègue, pourtant peu enclin aux discussions sur l'avenir du monde.

« Qui sait qui sera le prochain ? », disait un autre. « Si le gouvernement n'est pas prêt à intervenir... »

« C'est Armageddon. Je ne sais pas comment ils pensent que l'économie va s'en sortir... »

Le lendemain, Michel se réveilla dans un autre monde. Pendant une seconde ou deux, avant d'ouvrir les yeux, il imagina que ce n'était pas arrivé, que ce n'était qu'un rêve. Mais le souvenir d'hier opprimait sa conscience, telle une chape de plomb. Paradoxalement, lui qui le matin était souvent un zombie, ce matin-là il se sentait alerte, vivant. Une époque différente allait commencer. Il aurait préféré ne pas sauter le pas, mais maintenant qu'il n'avait plus le choix, il valait mieux être présent pour voir où allaient les choses.

Il se fraya un passage à travers une foule de reporters qui prenaient l'immeuble d'assaut. Les questions fusaient, les appareils photo cliquetaient. Il avait l'impression d'être une star. C'étaient peut-être ses cinq minutes de gloire à la Warhol.

Les couloirs étaient pleins de petits groupes ; personne n'était à son bureau. Michel flânait d'un groupe à l'autre, faisant une remarque nonchalante ou bien écoutant simplement la conversation. Le choc avait réveillé en lui cette intensité que Karine avait tellement regretté de perdre dans la grisaille luisante des escaliers de la banque. Il se sentait vivant, aimait ses collègues, y compris ses ennemis invétérés, qui maintenant étaient sur le même bateau qui coulait.

Pendant que Richard Fuld conduisait au 31e étage les ultimes négociations sur l'avenir de Lehman Brothers, Michel alla voir Matt, son ami trader de longue date.

Dans la salle des marchés régnait une ambiance de cour de récréation. La pagaille était totale. Un manager, d'habitude à cheval sur la vitesse, criait maintenant d'arrêter toutes les opérations. Des informaticiens essayaient de bloquer tous les systèmes afin d'éviter la fuite d'informations. Un homme hagard, qui avait sur l'autre ligne sa femme pratiquement sur le point d'accoucher, appelait les ressources humaines pour demander si son assurance couvrirait les coûts de l'hôpital.

Triste image de la panique. Tous ces êtres humains si sûrs d'eux-mêmes, en contrôle apparent de leur destin et de celui des autres – c'est drôle comme les choses changent vite.

Michel était surpris par deux choses. D'abord, à quel point le vernis poli de Wall Street était en train de céder le pas à la crudité de la nature humaine. Finis les tailleurs bien repassés, les tenues étudiées et les visages bien composés – ce jour-là, l'humanité nue était à observer dans les locaux bien climatisés de Lehman Brothers. Il vit une femme aux bas troués, qui n'avait même pas pris la peine de mettre la paire de rechange qu'elle gardait certainement dans son tiroir. Pour qui faire un effort – est-ce que cela avait encore de l'importance ? Mais au-delà, il était étonné de voir à quel point, face à ce qu'ils percevaient comme hostilité générale, ces êtres normalement seulement motivés par la concurrence et l'appât du gain manifestaient une solidarité et même une sorte de compassion par rapport à l'autre. Il avait fallu la faillite d'une entreprise à laquelle beaucoup avaient dédié leur vie, la destruction de leur carrière pour qu'ils montrent ce côté inattendu. La question était uniquement de savoir si cette compassion s'étendrait aux êtres humains à l'extérieur des murs de Lehman.

Matt avait sorti de son placard secret une excellente bouteille de vin, cachée pour une célébration de victoire. Il avait toujours un réservoir secret de bouteilles spéciales. Aujourd'hui, il semblait ne plus y avoir d'avenir à espérer, plus de victoires à attendre. Une ambiance surréaliste, fin de siècle – des traders aux cheveux ébouriffés, les manches de leurs chemises retroussées, dégustant un vin qui avait été destiné à sceller leur succès. Beaucoup ne cachaient pas leurs efforts pour noyer leur chagrin dans des quantités immodérées d'alcool.

Matt, aimé des autres traders de son groupe, se sentait quelque peu piégé par la situation. Les résultats de son groupe avaient été très bons, et il se voyait maintenant payer ce qu'il considérait être de la responsabilité des autres.

« Ces salauds d'un autre étage », susurra-t-il quand Michel vint à sa rencontre.

« Mais pourquoi, il y en a aussi à cet étage », ne put s'empêcher de répondre Michel, qui trouvait amusant que chacun, ce jour-là, se plaçât dans le camp des victimes.

Matt avait été recruté dans une banque rivale ; Lehman avait doublé sa compensation. Il regrettait aujourd'hui d'avoir sauté le pas. En même temps, qui sait où s'arrêterait la rafale ? Peut-être que d'autres banques seraient à leur tour touchées. Matt avait presque soif de vengeance, tellement il se sentait accusé ce jour-là, la cible de toutes les attaques.

Matt et Michel regardèrent par la fenêtre. Dehors, une meute de reporters attendaient, armés de leurs appareils photo, de voir des banquiers humiliés sortir, tenant une boîte avec leurs affaires entre les mains.

« On a intérêt à monter le camp ici, on ne pourra pas sortir de l'immeuble », observa Michel.

« À moins qu'on ne soit éjectés... » Matt n'eut pas le temps de terminer sa phrase – un coup de téléphone l'interrompit. Le téléphone n'arrêtait pas de sonner – la presse, les clients... Chacun venait aux nouvelles morbides, et voulait être au premier rang aux obsèques. Mais ce coup de fil était différent – c'était la direction qui appelait Matt pour expliquer les résultats de son groupe aux investisseurs potentiels. À peine présentable, Matt dut aller se brosser les dents pour faire oublier les nombreux verres de vin qu'il avait partagés avec ses camarades de malheur.

En le voyant partir, Michel envoya un texto à Karine : « C'est fini. »

Juste avant 22 heures, le 22 septembre, un mémo de Fuld était finalement arrivé à l'ensemble de la banque.

« Je sais que tout cela a été très douloureux pour vous, sur le plan personnel autant que financier. Je suis désolé pour cela. »

La lettre d'excuses du capitaine – c'était vraiment la fin.

5
Après l'explosion

« **U**NE BOMBE atomique a explosé, et tout le monde continue à fonctionner comme si de rien n'était. » C'est ainsi qu'un ami et mentor de Michel, vieil investisseur de renom, avait résumé la situation le lendemain de la chute de Lehman.

Michel se demandait s'il pouvait le croire. Une vraie catastrophe nucléaire ? Cela n'était jamais arrivé de son vivant. Quelque part en lui, il ne croyait même pas que cela existât vraiment. Après tout, il avait grandi dans le doux cocon de l'après-guerre, protégé par la démocratie, la libre parole et l'économie de marché, une époque où les inimitiés nationales étaient remplacées par les matchs de football. Ses libertés individuelles étaient protégées, et son succès économique ne tenait qu'à lui-même. Il n'avait donc rien à craindre – sa vie serait une ligne droite vers le succès (et les richesses), marquée par ses accomplissements et victoires variés. Une catastrophe nucléaire ? Ce n'était pas au programme.

Michel n'était pas le seul dans ces incertitudes. Personne ne savait quoi penser, et les passants dans les rues de New York enfonçaient le nez dans leur écharpe de manière encore plus sournoise et décidée. On espérait que ce n'était qu'une récession de plus – on en avait connu d'autres. La récession qui avait suivi les attentats du 11-Septembre avait frappé New York de plein fouet.

Le désarroi autour de lui était général. Ses collègues s'accrochaient au mince espoir que Wall Street rebondirait, tout en dévouant de plus en plus d'efforts à la recherche de postes inexistants.

Michel ne pouvait pas s'empêcher de penser aux Béatitudes. « Les premiers seront les derniers. » Jimmy Caines, hier à la tête de Bear Stearns, avait perdu un milliard de dollars. Richard Fuld, hier PDG de Lehman Brothers et l'un des héros les plus fêtés de Wall Street, en était aujourd'hui à se défendre dans une multitude de procès en cours, passant ses journées avec ses avocats et refusant de parler à la presse qui faisait de lui le bouc émissaire de la crise. En janvier 2008, il côtoyait encore les grands de ce monde à Davos, distribuant ses opinions comme on le ferait avec des cartes de visite. Il se sentait à sa place, vénéré de tous, craint par beaucoup. Quelques mois plus tard seulement, il cherchait refuge au fond de la limousine qui l'emmenait à une séance du calvaire juridique qui était désormais son quotidien. En octobre, il était apparu devant le Comité parlementaire, qui avait ouvert une investigation sur la crise en cours. Répondant à la question : « Pourquoi Lehman n'a-t-elle pas été sauvée alors que AIG l'a été ? », il se pencha vers son micro de manière dramatique, tel l'acteur d'une tragédie prêt à assener les ultimes lignes de son texte. « Je me poserai la question jusqu'à la fin de mes jours » – sa réponse était lente, lourde, pleine d'une émotion qu'il ne parvenait plus à maîtriser.

Michel ne l'avait jamais vu aussi dramatique. L'émotion n'avait jamais été son point fort.

Il avait entendu dire que Fuld passait ses journées à rôder dans les salons interminables de son énorme maison dans le Connecticut, près de New York, repensant à chaque instant de la crise et se demandant ce qu'il aurait pu faire différemment.

Apparemment, il se sentait trahi. Il avait cru que Hank Paulson, le secrétaire au Trésor, qu'il connaissait encore de ses années chez Goldman Sachs, était un ami.

La crise avait touché tout le monde, personne n'était épargné. Pratiquement, la vie de Michel et de Karine avait également changé de fond en comble. Karine se levait le regard noirci de désespoir, mais affichant une sournoise détermination. Michel se sentait vide, sa vie extérieure plus automatique que jamais. À l'intérieur, il n'avait plus rien. D'abord, il avait attendu patiemment la nouvelle de la restructuration, s'efforçant d'aller au bureau pour préserver un semblant de normalité. Plus personne ne travaillait. Si les clients appelaient, c'était pour demander qui était encore actif et qui serait licencié en premier. Dans les couloirs, les banquiers buvaient café sur café en échangeant des tuyaux sur des postes dans Wall Street, en diminution rapide jusqu'à devenir inexistants. Cette ligne de conversation tarie, il ne restait plus qu'à discuter des nouvelles du jour, spéculer sur les changements dans l'équipe de gestion et faire des paris sournois sur l'économie. Une sorte de solidarité dans le malheur s'était formée parmi tous les employés, qui se voyaient victimes de la crise mais étaient néanmoins mis au pilori à l'extérieur comme les principaux fautifs. Beaucoup avaient tout perdu – travail, investissements, orgueil et respect des autres. Mais il y avait une étrange joie dans ce désespoir – une espèce de *Shadenfreude* qui allumait les regards de ces banquiers qui voyaient détruit tout ce à quoi ils avaient dédié leur vie. Peut-être, enfin, une libération.

Les licenciements ne se firent pas attendre. Il était clair que les choses ne pouvaient pas continuer ainsi. Les traders étaient assis dans la salle des marchés en jetant des boules de papier en l'air ; rien ne marchait. L'énorme machine de Wall Street était en train de battre de l'aile. L'annonce elle-même ne faisait que confirmer le fait accompli, comme le dernier coup de minuit que l'on voit arriver avec certitude. Le soir, quand il rentra, il avait l'air à la fois gris et apaisé. Sans poser de questions, Karine sut tout de suite ce qui était arrivé.

Pendant quelque temps, Karine eut l'orgueil d'être le gagne-pain principal du ménage. Elle sortait le matin et rentrait le soir, en laissant Michel affaissé sur son bureau, espérant en vain qu'il s'occuperait des tâches ménagères dont elle aurait voulu se libérer. Elle se demandait ce qu'il faisait toute la journée. Le soir, elle le retrouvait dans la même position que le matin, le dos arrondi en face de son ordinateur. Ce qui se passait entretemps était son secret, elle n'osait pas poser trop de questions.

Michel, lui, essayait en vain d'envoyer des lettres de candidature à des postes qui étaient désormais des exceptions confirmant la règle générale de l'absence. Il était rare qu'il reçoive même une réponse négative, la majorité restait sans réponse du tout. Il se sentait comme un grain de sable, perdu parmi autant de grains sans différence aucune. Il y avait eu une époque où ses diplômes prestigieux, son excellente expérience et les grands noms de la finance sur son CV le distinguaient de la foule. Maintenant, il était redevenu un humain parmi d'autres, juste un banquier de plus, même costume gris, mêmes études sans valeur, même expérience dont plus personne ne voulait. Quelle expérience, de faire désormais partie de la foule ! Jamais il n'avait imaginé que les banquiers seraient un jour les mineurs des temps modernes.

Il passait des heures au téléphone avec ses ex-collègues. Les premiers jours, les coups de fil n'arrêtaient pas – chefs, collègues, subordonnés, tous ceux avec qui il avait travaillé au fil des ans, même des anciens amis de son école avec qui il avait perdu contact depuis des années – tout le monde appelait afin de lui exprimer son soutien. Il passait tellement d'heures au téléphone qu'il avait à peine le temps d'envoyer des CV. Peu à peu, les coups de fil se firent plus rares, et plus polis. Il croyait qu'il pourrait avoir des tuyaux, des portes d'entrée, mais maintenant ces appels lui paraissaient de plus en plus une perte de temps pure et simple.

Très vite, il devint clair qu'il n'y avait pas de tuyaux à partager, pas de vrai soutien à donner. Seulement une peur bleue de ce qui pouvait arriver.

Car personne ne savait à quoi s'attendre. On parlait de 10 ans de récession, comme au Japon. La carrière de Michel serait certainement terminée, il ne serait jamais réembauché passé un certain âge.

Wall Street et le quartier environnant étaient tristes, moroses. Au fur et à mesure que l'automne s'installait, il y avait de moins en moins de passants. Le vent avait de plus en plus de liberté dans une rue où, jadis, on pouvait à peine se frayer un passage à travers la foule.

L'église de la Trinité, juste en face de Wall Street, qui avait déjà une fois servi de repère et de point de rassemblement du quartier après la catastrophe du 11-Septembre, était de plus en plus pleine. Après un de ses rares entretiens (où il allait pour garder le moral, mais dont il sortait démoralisé car personne n'était prêt à prendre des décisions), Michel entra dans l'église. Le silence ici était paisible, pas comme ce silence angoissant qui sonnait le glas des beaux jours de Wall Street. Il était surpris de voir autant de monde assis tranquillement à réfléchir ou à prier. On aurait dit la salle d'attente des entretiens d'où il venait de sortir. Les gens étaient ordinaires. Des banquiers gris, des secrétaires préoccupées, des femmes d'affaires sûres d'elles-mêmes, à la fragilité pourtant si mal dissimulée. Le même monde qu'il croisait sans le voir dehors, dans la rue. Et pourtant, quelque chose de différent en eux dès lors qu'ils avaient franchi ces portes. Peut-être une lueur dans les yeux, peut-être plus de calme dans les gestes, peut-être un sourire plus facile à ceux qu'ils ne connaissaient pas.

Karine, elle, récusait tout changement comme une défaite. Après tout, changer serait reconnaître qu'elle avait eu tort, ou qu'elle avait mal vu. Fière de son nouveau rôle de gagne-pain, elle n'avait pas vu le changement venir malgré elle. Pourtant, il y avait de moins en moins de choses à faire dans son agence. On passait de plus en plus de temps à bavarder. On commençait à se battre pour le travail – le fait d'être occupé semblait être une protection contre ce qui paraissait de plus en plus inévitable. On développait des idées qui ne seraient jamais réalisées, on contactait de nouveaux clients, eux-mêmes en panique, on essayait de garder les clients existants qui coupaient leurs budgets de publicité à tour de bras. De plus en plus, on avait l'impression d'être des acteurs qui, après des préparations fastueuses, se présentent sur la scène en plein costume et maquillage, prêts à réciter leurs lignes, pour se retrouver devant une salle vide. Le drame des images de marque et de la réalisation par la consommation était en train de tomber à plat.

Pourtant, Karine ne s'attendait pas encore à la fin. Elle refusait de voir les signes, et aimait dire à qui voulait l'entendre que tout allait bien, qu'ils n'étaient pas touchés par la crise – une façon d'exorciser sa propre angoisse, qu'elle essayait de ne pas s'avouer. La bonne gestion de l'agence sans doute. Et les excellentes relations avec les clients. Et aussi les nouvelles idées hors du commun offertes par l'agence.

Quand elle fut appelée dans le bureau du directeur de l'agence, elle pensait que c'était pour discuter desdites nouvelles idées. Elle apporta avec elle la présentation à demi terminée sur laquelle elle travaillait depuis des jours.

« Karine, nous apprécions beaucoup votre collaboration. » ça commençait mal. Une réunion pouvait se terminer et non commencer par un compliment. Un compliment au début n'augurait jamais rien de bon.

« Vous connaissez la situation économique. Nos clients ont tous réduit leurs budgets avec nous... »

« Mais je croyais qu'on s'en sortait bien... », aventura timidement Karine, qui avait une capacité étonnante à croire en son propre marketing.

Le directeur de l'agence la fixait, éberlué par autant de naïveté. Ses efforts pour maintenir le moral des troupes avaient visiblement réussi au-delà de toute espérance.

« Bien sûr, mais nous ne sommes pas en mesure de maintenir le business au niveau de l'année dernière. Nous devons par conséquence réduire les effectifs. Et nous séparer de nos collaborateurs estimés... »

Karine n'en croyait toujours pas ses oreilles.

« Nous voulons donc vous remercier pour vos années de service... »

Karine ne comprenait plus rien. Un licenciement ? Cela n'arrivait qu'aux autres. Même quand son mari avait été touché, elle avait gardé la réconfortante certitude d'être au-dessus de la mêlée. Elle, star aux performances toujours excellentes, championne de la concurrence interne, toujours à l'heure, toujours de bonne humeur, toujours prête

– quelque chose ne serait pas juste dans le monde si cela devait lui arriver.

Cela venait de lui arriver.

Le directeur de l'agence avait horreur des états d'âme – c'est d'ailleurs pourquoi licencier ses employés, outil faisant partie de la panoplie de tout PDG sérieux, n'avait jamais été son point fort. Il avait une série de ces entretiens à mener ce jour-là, et n'avait pas le temps de s'attarder sur les émotions de ses employés. Il les considérait d'ailleurs hors de sa responsabilité dès lors qu'ils étaient licenciés.

Pendant qu'il lui expliquait les détails de ses indemnités, Karine avait la tête ailleurs. Comment annoncer la nouvelle à Michel ? Ils étaient maintenant sans revenus. Ils avaient bien un peu d'épargne, mais pas de quoi durer très longtemps. La disette allait commencer.

Au lieu de rentrer directement à la maison, elle se mit à arpenter les rues de Manhattan. Elle avait un besoin maniaque de se sentir occupée, en activité, elle qui n'avait plus rien à faire.

Elle allait choisir une approche différente de celle de Michel. Son mari avait dû toucher le fond pour pouvoir se relever, mais le choc était trop grand pour qu'il accepte d'en revenir au même point. Même s'il n'en était pas encore conscient, des changements subtils s'annonçaient en lui.

Karine, elle, était une battante, et de première classe de surcroît. Plutôt que de s'avouer vaincue – même par la plus grande crise du siècle – elle avait décidé qu'elle voulait persister et signer. Elle pouvait travailler plus que tout un chacun, et elle appliquerait cette énorme volonté à la recherche d'un travail, même dans un contexte où personne n'en trouvait.

Tel un petit soldat, elle se levait donc à l'aube, et restait jusqu'au soir à travailler sur son ordinateur, envoyant CV sur CV, écrivant une lettre de motivation après l'autre, jamais découragée par le refus ou même l'absence de réponse. Elle voyait sa recherche comme une campagne de marketing direct, un peu comme celles qu'elle avait eu l'occasion de gérer pour ses clients, et ne s'attendait donc pas à un retour supérieur à 1 ou 2 %. Sa vie étant structurée telle une présentation bien faite, elle comprenait de moins en moins les états d'âme de Michel et toutes les questions qu'il se posait. Pour elle, il y aurait toujours des lendemains qui chantent, et ces lendemains seraient exactement comme dans le passé, exactement comme elle les avait rêvés.

Elle ne comprenait d'ailleurs pas d'où venait l'erreur. Employée modèle, pleine de talent, respectée par ses pairs et convoitée par les agences concurrentes, elle n'avait pas fait de faux pas. Pourquoi donc cette punition ? Car punition il y avait, chaque défaite étant évidemment au fond une lacune personnelle, confirmant quelque part ce sentiment lancinant qu'elle avait toujours porté en elle et cherché à démentir par des années de victoires. Noyer ce sentiment dans une nouvelle dose d'optimisme lui était essentiel. Elle se persuada donc qu'elle pouvait rebondir, et ne désirait rien de plus que le retour du bon vieux temps. Quant à Michel, elle était agacée par ce qu'elle percevait comme son manque d'énergie et de motivation, qui semblait démentir l'image qu'elle s'était construite.

Autour d'eux, ceux qui n'avaient plus de travail étaient plus nombreux que ceux qui en avaient un. Certains baissaient les bras, se disant d'emblée qu'il était impossible de trouver quoi que ce soit dans une situation où des milliers de professionnels avec les mêmes CV étaient crachés dans la rue par la machine enrouée de Wall Street. Ceux-ci choisissaient l'attente, et décidaient de faire passer le temps en dîners mondains où l'ombre de Boccaccio planait souvent.

D'autres en perdaient le sommeil. Certains avaient décidé de quitter New York, le théâtre de leur défaite : la vie était moins chère en province, et les indemnités de licenciement dureraient davantage. C'était peut-être aussi l'occasion de se refaire une vie, comme on se refait une santé après une longue maladie.

Il n'y avait pas que Karine et Michel qui étaient à un tournant – toute la ville était en transition. Tout était remis en cause. Politiquement, l'automne 2008 allait délivrer l'une des grandes surprises de ce début de siècle : l'élection d'un président noir.

Personne ne voulait y croire, et pourtant le vent du changement soufflait sur le pays. Cette fatigue ressentie par Michel était en effet ressentie par beaucoup, qui voulaient secouer les idées acceptées pendant des décennies, et monnaie courante sous la chape de plomb des années Bush.

Le jour des élections fut pour Karine et Clara, Michel et Bertrand l'occasion d'une rare rencontre. La ville était pleine de soirées, et Karine entraînait tout le monde. « J'ai quand même attendu cette soirée pendant 8 ans ! », riait-elle. Ça faisait du bien d'avoir l'occasion de rire, la ville en avait bien besoin.

Karine avait essayé de distraire Michel de ses états d'âme en participant à la campagne d'Obama. Elle qui n'avait jamais fait de politique, elle était enivrée par l'émotion d'être portée par un nouveau courant, le courant de sa génération. La campagne d'Obama reposait en effet sur plusieurs piliers – les jeunes qui n'avaient jamais participé à la politique, les modérés qui réservaient leur jugement jusqu'à la dernière minute, et les « obamacains », ces fameux républicains qui avaient changé de temps à l'image, il y a quelques décennies, des démocrates reaganiens. Obama représentait en effet un espoir dans un pays en mal de celui-ci.

Karine s'avouait être en mal d'inspiration, et les discours d'Obama en donnaient. À l'image de Kennedy, qui avait amené tellement de jeunes à s'engager, son appel à l'engagement civique avait su frapper une corde. Pour Karine, l'engagement dont il parlait offrait une occasion d'insuffler un peu de sens dans sa vie, de se sentir utile, de se donner l'illusion que le monde avait besoin d'elle. Autour d'elle, ses amis au chômage faisaient du volontariat, et elle croyait, avec eux, que davantage d'engagement civique pourrait libérer l'État de l'obligation de tout faire.

Ce goût du travail pour les autres était aussi partagé par Michel, mais il approchait la question différemment. Il ne voulait pas voir le travail caritatif comme une responsabilité en plus, comme une nouvelle tâche sur sa liste de choses à faire. Il avait besoin de sortir de l'enfer de l'accomplissement mécanique où il s'était enfermé. Si besoin d'aider il y avait, Michel voulait qu'il vienne aussi bien de lui que des autres, de sorte que ces activités, au lieu d'aliéner son temps, lui permettent de sentir un lien avec les autres. Il ne voulait plus faire son quotient de travail associatif pour le mettre sur son CV, et trouvait qu'une vraie aide ne pouvait être possible que si elle venait d'une compassion profondément ressentie. Après tout, c'était pour lui une nouvelle manière de vivre, qu'il aimait porter avec la même délectation que Karine un vêtement à la mode : il se plaisait à sentir, alors qu'avant il ne faisait qu'accomplir.

Il était également gêné par le ton de messie parfois adopté par Obama et repris par ses admirateurs. « C'est de lui que l'on a besoin, c'est lui que l'on attendait », il n'entendait que cela. Michel ressentait par rapport à ce vocabulaire d'un enthousiasme quasi religieux un malaise croissant. Non seulement parce qu'il savait que la déception serait d'autant plus grande que les attentes étaient démesurées – mais aussi parce qu'il trouvait une telle ferveur déplacée en politique.

Karine n'avait pas autant de doutes – elle avait besoin de s'accrocher à quelque chose pour continuer à croire en un modèle de vie qui lui échappait des mains, et l'éthique laïque d'Obama offrait une paille idéale.

Michel, ne mettant pas autant de foi en l'action politique, était de plus en plus fasciné par les flâneries. Il se souvenait avoir eu peur du hasard – dans l'obsession de contrôle qu'était sa vie, le hasard représentait une intrusion malencontreuse. Il suffisait d'une intrusion du hasard, ce malotru, pour ruiner ses meilleurs plans. Il avait besoin de croire en sa capacité de gérer, sinon le monde autour de lui, du moins sa propre vie, et le hasard était un fantôme menaçant et dérangeant. Si le hasard gouvernait notre vie, aucune salvation.

Il se souvenait de ses tentatives maladroites pour éliminer toute approche du hasard en planifiant tout méticuleusement. Une intrusion inopinée du hasard signifierait le chaos – il croyait avoir besoin, pour respirer, de pouvoir s'appuyer sur quelque chose de solide. Tout ce qui était en dehors de lui, le monde, les autres êtres humains, la nature bien sûr – de toute évidence, tout était d'un aléatoire total et ingouvernable, mais il avait appris par son éducation occidentale à faire confiance à ses propres forces, si minimes puissent-elles sembler. Il devait donc s'appuyer sur lui-même en toute circonstance, sauf à souffrir un saut dans le vide. Il avait besoin de croire en ses propres moyens, en sa capacité à puiser sa force en lui-même. Toute indication du contraire devait être réfutée avec force, sous peine que s'effondre tout cet édifice patiemment érigé. Le hasard, remettant tout en question, représentait une menace à éliminer.

La planification méticuleuse de sa vie n'avait mené qu'à la catastrophe. Son 401K, le compte retraite, était vidé comme une église après le passage des barbares. Il avait passé des nuits entières à planifier sa retraite, à calculer de combien d'argent il aurait besoin, à prévoir l'imprévu, à anticiper sa vie. S'il était tellement bon pour prévoir les hauts et les bas du marché et pour planifier les investissements pour les entreprises qu'il conseillait, il devrait être capable de fournir le même travail pour lui-même. Il avait donc créé trois scénarios : le minimum, une vie confortable, et une vie, avant la retraite, qui lui permettrait tous les luxes. Ses longues nuits de travail, ses années passées sans laisser de trace sauf les transactions qu'il avait effectuées, lui avaient permis l'espoir de faire du troisième scénario une réalité. La crise avait renversé tous ses espoirs – ses investissements avaient tellement baissé que sa retraite était inexistante, son avenir n'était plus assuré, et même sa capacité à survivre devenait de plus en plus incertaine.

Être banquier était devenu une insulte, la finance était considérée comme une profession presque honteuse. Karine, toujours si fière de parler de la profession de son mari dans les dîners en ville, se retrouvait maintenant à esquiver le sujet et à changer de conversation.

Matt était plus direct que ça. « J'aime autant dire que je fais du cinéma porno. »

Comment en être arrivé à ce point ? Avoir cultivé sa vie telle une œuvre d'art, ne laissant rien au hasard (ou hors contrôle), avoir poli son caractère, son savoir et ses capacités intellectuelles à l'infini – pour ne plus être sûr de survivre ? Qu'en serait-il des autres, qui n'étaient pas allés si loin ? Il semblait que tout le monde fût logé à la même enseigne.

Le trait distinctif de cette crise de 2008 – de même d'ailleurs que celle de 2001-2002, après l'attentat du 11-Septembre – était son caractère égalisateur. De même qu'à la mort, qui est la grande égalisatrice de la condition humaine, personne, cette fois-ci, n'allait y échapper. Tout le monde était frappé, indépendamment de son niveau d'éducation, sa profession, ses revenus ou son opinion de soi-même.

Les crises, à l'avenir, seraient-elles ainsi sans préjugés ? À l'époque de l'ouragan Katrina, on avait eu l'impression que la nature pouvait être accusée de partialité, car elle avait choisi de frapper de manière disproportionnée les quartiers pauvres. La crise économique, elle, n'était pas biaisée – tout le monde était placé à la même enseigne.

C'était une remise en question majeure de toutes les valeurs qui avaient jusqu'à présent gouverné la vie de Michel. Il avait toujours pensé qu'en travaillant dur, il serait récompensé. Le travail n'était pas ce qui avait manqué – des nuits entières passées à vérifier les derniers détails de ses transactions, des mois entiers de sa vie qui s'étaient effacés de sa mémoire, aucun souvenir, aucune trace en dehors des modèles sur son ordinateur, des paperasses sur son bureau, et de ces réunions de travail interminables qui s'éternisaient jusque dans la nuit. Et pourtant, le fruit de son labeur avait été effacé, sans trace. Toute l'œuvre de sa vie, disparue, effacée comme un dessin sur le sable. Il sentait fondre les lignes de ce dessin de sa vie comme on voit disparaître une trace sur une vitre enneigée.

Il aurait dû vendre les actions de son portefeuille avant l'avènement de la crise, avait-il pensé. Il se souvenait toujours de cet ami qui lui avait parlé de son grand-père légendaire, patriarche qui avait sauvé sa famille à l'époque de la Grande Dépression, en vendant tout son portefeuille d'actions en 1928. Prescience ou hasard pur et simple ? De même que dans la vie on ne savait jamais très bien à quel virage il fallait tourner pour changer de direction, sur le marché non plus, personne ne savait quand on aurait atteint le sommet. L'esprit humain extrapole toujours le présent, et on suppose toujours que la vie va continuer sur sa lancée. Dans un marché qui monte, on choisit de ne pas voir les détails qui dérangent, de même que dans un marché qui baisse, on choisit de vendre, accélérant ainsi la chute que l'on croirait presque éternelle. Ainsi Michel, avec tous ses outils analytiques, son esprit d'investisseur perspicace et toutes les armes du savoir et de l'expérience, n'avait-il su prédire le sommet du marché et encore moins s'en sortir à temps.

Une partie substantielle de sa compensation était aussi constituée par les stock-options, qui étaient dorénavant complètement sous l'eau et sans valeur.

Le fondement même de sa vie était ébranlé – les choses n'étaient plus ce qu'il croyait. Si le travail ne conduisait pas forcément à la réussite et à la richesse, si un fléau venu d'on ne sait où pouvait effacer d'une seule vague tous les efforts d'une vie, qu'est-ce que cela voulait dire ?

Il aimait se croire agent libre, indépendant et fort, acteur dans sa vie et dans celle des autres. Cette crise était-elle une simple claque qui lui permettrait de rebondir encore plus fort, ou bien le signe qu'il ne contrôlait pas sa vie ? Et s'il ne l'était pas, qui était-il ?

Michel croyait ne pas pouvoir vivre sans le bruit envahissant des rues new-yorkaises qui faisait irruption dans son appartement malgré le double vitrage. New York était une ville où il se passait toujours quelque chose, et pour chercher la paix, on n'avait qu'à aller ailleurs. Ce bruit constant était devenu pour Michel rassurant – un signe que tout était à sa place, que le fourmillement de la ruche humaine que constituait la ville continuait comme le bon Dieu l'avait voulu. Pas de questions à se poser, il fallait juste continuer, avancer avec la musique de la ville. Ce rythme du mouvement permanent de tous ces humains remplis d'activités qu'ils croyaient nécessaires, cette musique incessante de la ville était le sang qui coulait dans ses veines, il ne savait comment vivre autrement. Se lever à l'aube, enfiler un costume, marcher avec tutti quanti, un bol de café de Starbucks à la main, jusqu'à atteindre le port de son bureau pour n'en sortir que tard le soir, détruit physiquement, mais l'esprit et la volonté axées sans broncher sur la répétition du même régime le lendemain. Un accro à la volonté et à la discipline, l'un des moines de Wall Street, prêts à dédier leur vie au temple de la réussite.

Aujourd'hui, toutefois, ce bruit incessant le gênait. Un mal de tête dont il ne pouvait pas se débarrasser, impossible de se concentrer pour trouver un semblant de réponse aux questions qui l'agitaient. Lui que le silence angoissait, il se prenait maintenant à chercher le calme, comme si des réponses auraient pu en sortir. Comment vivre sa vie sans l'épine dorsale de la réussite individuelle qui l'avait jusqu'à présent gouvernée ? N'était-ce pas le sens de la vie humaine ?

Dans une société où l'individu est roi, l'autoexpression est considérée comme une valeur en soi, à ne pas remettre en question. Réaliser ses désirs quels qu'il soient, exprimer ses opinions quelle que soit leur valeur, ou encore réaliser des objectifs quelle que soit leur utilité pour les autres – tout cela allait de soi quand aucune objectivité partagée ne pouvait servir de critère – qui donc allait juger ce qui valait vraiment la peine ? On le laisserait à la postérité, qui aurait du pain sur la planche... Le critère principal d'après lequel Michel jugeait une vie était donc la réalisation des buts que l'on s'était fixés. Tout se passait donc entre lui et lui-même, une vie fermée sur sa personnalité, excluant les autres, cherchant son propre reflet dans le miroir de la vie, comme on tombe amoureux de ceux qui nous renvoient le reflet de nous-mêmes que nous aimerions voir.

Comment vivre maintenant que ses objectifs avaient été annihilés, que l'œuvre de sa vie était inexistante ? Michel espérait encore croire en la force de l'individu créateur, qui se relèverait des cendres tels un phénix, de même que cette ville qui renaît toujours. Mais quelque chose en lui était brisé – peut-être l'innocence d'un enfant qui a découvert que son pouvoir n'était pas infini. Pire, que sa source n'était ni lui-même ni sa volonté, mais que si renaissance il devait y avoir, elle devrait puiser ses forces ailleurs.

Élevé dans le contentement cossu des démocraties occidentales de l'après-guerre, il ne lui était jamais venu à l'esprit de remettre en question ce qui était la philosophie ambiante, celle de l'autoréalisation, qui se traduirait automatiquement par la richesse et la reconnaissance. « Faites ce que vous aimez, et l'argent suivra », était l'un de ces conseils bateau auxquels il était habitué depuis ses années d'université. Ce n'est donc pas avec cynisme qu'il s'était engagé dans la finance, mais en croyant sincèrement, du moins dans ce qu'il exprimait dans ses conversations avec les autres, que cette vie remplie de modèles sur son ordinateur, de présentations qui se mesuraient au poids, de nuits interminables et de levers dans l'obscurité pour prendre le premier avion, que tout cela ferait le bonheur de ses jours.

Ce bonheur s'était-il réalisé ? Certes, il y avait les premiers mois de fierté, l'engouement d'appartenir à cette tribu des hommes de la finance. L'excitation des premières transactions, l'adrénaline de tout avoir terminé à l'heure, pris l'avion à temps et impressionné le client, malgré trois nuits sans sommeil. L'attrait des voyages, les meilleurs hôtels et restaurants dans chaque ville, une ambiance où l'argent ne compte pas. Couvrir trois continents en cinq jours, dormir chaque nuit dans une ville différente, rencontrer les plus grands chefs d'entreprise et investisseurs des pays où il allait. Et bien sûr, la fierté de voir des annonces de fusion dans la presse et de compter combien de nuits avaient été passées à les réaliser.

Mais Karine voyait bien que derrière cette façade de contentement, il n'était plus lui-même. Le soir, il n'arrivait plus à garder ses yeux ouverts – il lui arrivait de s'endormir en pleine conversation. L'excitation de se réveiller chaque matin dans une nouvelle ville avait vite cédé la place à l'incertitude de ne pas savoir où il se trouvait. Les villes défilaient devant ses yeux comme des passants que l'on n'a pas eu le temps de bien regarder dans la rue, insignifiants dans leurs visages, inexistants dans notre vie. Ayant perdu le sens du lieu, perdrait-il aussi celui du temps et de l'identité ? Au-delà de la fatigue physique, c'était un homme profondément transformé que Karine avait dorénavant à ses côtés.

Il se souvenait d'avoir étudié dans sa jeunesse Aristote et son éthique du désir et du plaisir. Le plaisir de faire du bon travail et de réaliser une tâche que l'on aime bien. Un plaisir qu'il connaissait bien – la beauté d'un travail bien fait, la satisfaction de terminer un ouvrage. Il réalisait pourtant qu'il n'était jamais complètement absorbé par la tâche, toujours avec un brin de distance, comme si quelqu'un l'observait de côté. Il était lui-même l'observateur de sa propre vie, se jugeant lui-même comme s'il était une personne extérieure. Il voyait maintenant à quel point cette vision était superficielle – régi par l'éthique du résultat, il n'observait que l'effet externe, tel un passant détaché et sans intérêt particulier pour ce qu'il voyait. Ce qui comptait était uniquement ce qu'il voyait, une vision unidimensionnelle et plate.

Ses grandes joies, il réalisait maintenant, n'avaient que peu de chose à voir avec le plaisir des tâches intellectuelles de son travail, la joie d'un bon repas dans un excellent restaurant ou les choses qu'il pouvait leur procurer, à lui-même et à Karine. Ce qui le motivait, au fond, était ce que toutes ces choses disaient de lui à ce personnage extérieur qu'il était lui-même, ce juge ricaneur et sans appel de sa propre vie. Il était lui-même son critique le plus dur – son jumeau impitoyable imaginait toujours les pires critiques des autres et les amplifiait. Les autres, sa vie ne les intéressait peut-être pas ?, se disait-il maintenant. De quoi perdre la tête : ils étaient peut-être tout aussi préoccupés que lui de l'image extérieure qu'ils projetaient eux-mêmes.

L'opinion des autres régissait sa vie – à tout moment, il se demandait ce que son chef et ses collègues pensaient de lui, se comparait à ses camarades de classe, ou encore aux rêves qu'il avait eus en sortant de l'université (très peu définis d'ailleurs, mais toujours un bon standard pour juger de son niveau). Enfermé dans cette course au jugement et à la comparaison, il ne voyait pas où il pourrait s'arrêter, puisqu'il y avait toujours plus à atteindre. Comme le disait si bien le nom d'un yacht qu'il avait vu en été dans la marina de New York, « Jamais assez ». Michel se trouvait dans sa course en bonne compagnie.

Ainsi Michel était-il toujours prêt à sacrifier à l'autel de son ego et de l'opinion que les autres avaient de lui. Il ne respirait que pour leur approbation, et dans le but de gagner cette précieuse approbation, il était prêt à sacrifier sa vie, sa santé et son mariage.

Cette approbation se traduisait, à ses yeux, par le statut qu'il avait dans la société. Tocqueville avait déjà remarqué qu'en Europe, où le statut était relativement fixe, peu de choses pouvaient être faites pour l'améliorer, ne laissant pas d'autre option que de se contenter de ce que l'on avait et de profiter de la vie telle qu'elle se présentait, avec ses limitations et ses contraintes. Mais aux États-Unis, où il n'était déterminé par aucune règle sociale, aucune hié-rarchie, ce statut devenait une force d'anxiété considérable, car il n'appartenait qu'à l'individu de l'améliorer - et il n'y avait pas d'excuses pour ne pas le faire. Car les plaintes et les excuses, encore plus que les déjeuners prolongés, étaient pour les perdants. Ce statut mouvant, fluide puisque défini par aucune règle, pouvait à tout moment être gagné mais aussi perdu, d'où l'insatisfaction permanente de ceux qui le recherchaient.

Il avait toujours voulu être admiré : de son enfance, où il avait toujours été le bon élève, à la banque où il était prêt à donner sa vie pour être premier de la classe. Il se souvenait d'avoir écouté, à une conférence, le discours d'un partenaire de Goldman Sachs qui avait décidé de partir à la retraite. Ses derniers mots à ses collaborateurs étaient tranchants : « Personne ne va écrire sur votre tombe votre place de numéro un au placement des employés pendant deux ans de suite » (tous les employés étaient classés tous les ans, de sorte que chacun savait exactement où il en était).

Le chef de Michel l'avait dit après l'une des premières transactions qu'il avait closes. Michel avait travaillé des nuits et des nuits, et n'en était pas peu fier. Son chef, vieux loup de Wall Street quelque peu désabusé, à l'humour cassant, l'avait arrêté d'un cran : « Personne ne va nous apporter des roses... »

Comment ça, pas de roses ? Et les bonus à la fin de l'année, est-ce qu'ils ne feraient pas un joli bouquet de roses ? Et les toasts de champagne, les dîners de célébration, la reconnaissance universelle ?

Michel parlait avec tellement d'enthousiasme, à qui voulait l'entendre, de sa transaction close, qu'il ne comprenait pas quand les gens haussaient les épaules avec indifférence. Il était sidéré que le monde ne comprenne pas l'importance de l'événement – signe évident d'un manque d'éducation en la matière, se disait-il. Le détachement de son chef lui avait coupé l'herbe sous le pied.

Le but qu'il s'était fixé, il l'avait atteint – si l'admiration était ce qu'il avait recherché, personne n'avait été plus admiré dans les dîners en ville. Karine, qui voyait son mari s'éloigner de plus en plus, le front de plus en plus ridé, la bouche crispée, se demandait parfois si cette admiration valait le prix à payer – les nuits sans sommeil, la fatigue lancinante, leur mariage en question. Michel, lui, était sur une ligne droite – rien ne semblait pouvoir le détacher du but qu'il s'était fixé.

Mais cette admiration ne pouvait jamais le remplir de satisfaction. Il n'y en avait jamais assez, ce n'était jamais la bonne. Il y avait toujours quelqu'un pour critiquer, l'équivalent de jeter de l'huile sur le feu de l'ego vorace, toujours avare de louanges. C'était bien connu, à la banque, le succès appartenait à ces éternels douteurs d'eux-mêmes, qui cherchaient à démentir leur mauvaise opinion d'eux-mêmes (ou les critiques essuyées quand ils étaient enfants) par toujours plus de succès, toujours plus de transactions. Le manque de confiance en soi, paraît-il, est un terrain fertile pour l'accomplissement.

Oui, Michel se sentait vénéré, mis sur un piédestal, mais tel un acteur universellement admiré, il réalisait qu'il voulait, au fond, être aimé, reconnu et accepté, émotions que l'admiration distante de la foule pouvait difficilement lui procurer. Il comprenait maintenant quelque peu la jalousie de Karine par rapport à son travail – pourquoi son amour à elle ne lui suffisait-il pas ? Si un chasseur ne peut être satisfait que d'une course à perdre haleine, peut-être l'amour n'était-il pour Michel qu'une fonction de la bataille qui le précède. Une fois Karine conquise, il était normal qu'il se concentre sur d'autres batailles.

Pourtant, l'amour de Karine n'était pas si inconditionnel que ça. Aimait-elle, au fond, Michel lui-même, ce petit garçon vulnérable et effrayé qu'il dévoilait dans ses rares moments de fragilité, ou bien la statue lisse et parfaite de Michel, la figure du jeune banquier à succès, qui menait sa vie à la baguette ? Peut-être Michel sentait-il inconsciemment cette ambivalence en elle, et voulait-il ainsi lui offrir un parfait reflet dans le miroir, image fidèle de ses désirs inavoués.

Depuis qu'il avait connu la crise et sa douleur, Michel réalisait sa fragilité. Il voyait maintenant que toute l'histoire de l'humanité n'était qu'une histoire de fragilité. De notre naissance en tant que pauvre bête en mal de protection et d'amour, à la vieillesse où nous aimons entourer nos corps faiblissants de tendresse revigorante, nous ne sommes qu'une boule de vulnérabilité, tel un petit chien trouvé au bord de la route, ayant à peine évité les roues d'une voiture insouciante. Lui qui avait passé sa vie à convoiter la force et à cacher sa faiblesse qu'il croyait être fatale, il voyait maintenant quelle force il y avait chez ceux qui savaient risquer de se montrer vulnérables. Se montrer vulnérable, c'était accepter la fragilité comme étant la condition humaine. Accepter la sienne était aussi aimer celle des autres, ou du moins la comprendre, ne pas la nier.

Maintenant que sa vie était détruite – du moins telle qu'il se l'était imaginée, autre chose serait peut-être possible. Il ne se voyait plus comme cet homme fort, volontaire, régissant son destin et celui des autres. Il avait vu des hommes de ce type balayés par la crise comme des marionnettes par un souffle de vent. Il avait voulu être comme eux. Plus maintenant.

À quoi bon ? Ils n'avaient pas été protégés…

Toute sa vie, il avait cherché des protections envers et contre tous. Son compte en banque d'abord, son appartement cossu, mais aussi son éducation, son expérience et son statut – tout ceci était censé le protéger contre les aléas de la vie. Il voulait prouver que cela ne tenait qu'à lui, que rien ne pourrait l'atteindre, cloîtré derrière la muraille de son compte en banque. Et bien sûr, ceux qui étaient atteints n'avaient pas été assez prudents. Dans le domaine économique, il était facile de suivre ce raisonnement. Mais là où le bât blessait, c'était pour ce qui concernait les maladies, accidents et autres mésaventures du genre humain. Était-ce de leur faute ? Certains l'affirmaient d'emblée : ils n'avaient pas une vie suffisamment équilibrée (ou éclairée) et avaient donc provoqué eux-mêmes l'avènement de ces malheurs. Les New-Yorkais, qui aimaient tout contrôler, acceptaient peut-être de râler au sujet d'un bus en retard, dans les affaires sérieuses les choses devaient être dans les mains du capitaine. « Qu'as-tu fait pour provoquer ce cancer ? », Michel avait-il ainsi entendu une mère dire à sa fille à l'hôpital. Il aimait bien cette attitude défiante – ainsi, rien de tout cela ne pourrait lui arriver. Il avait donc peur des faibles, des malades, des handicapés. Ils lui rappelaient que le contrôle risquait de ne pas toujours lui appartenir.

Toujours peur. La peur, réalisait-il maintenant, gouvernait toute sa vie. Peur d'échouer, peur de mourir, peur d'être quitté par Karine, peur de la maladie et d'être à la charge de Karine, peur d'avoir une famille ou de ne pas en avoir, peur de perdre son travail et peur de continuer à vivre dans ce tunnel pendant des décennies, peur du changement et du statu quo, peur de ne pas être à la hauteur et d'être trop intimidé, peur de se retrouver seul, peur de ne plus avoir de forces ou que personne n'ait besoin de lui – il réalisait maintenant qu'il était passé maître dans l'art de conjuguer la peur à toutes les sauces. Lui qui se voyait en conquistador de Wall Street, le chevalier sans peur et sans reproche des temps modernes.

Aujourd'hui, il avait moins peur de ceux qui étaient brisés, car il savait qu'il l'était aussi.

Il vivait comme d'une drogue de l'illusion du pouvoir, du pouvoir que l'argent pourrait donner. Son éducation, il le réalisait, lui avait appris à prendre sa place dans la compétition, à apporter sa contribution à la course qui était en cours. Aujourd'hui, il voyait qu'il n'avait jamais appris à écouter, à trouver un rapport avec quelqu'un, à construire une relation. Avant, les relations étaient pour lui un outil de travail, quelque chose lui servant à expédier ses requêtes d'informations au service de recherche de la banque.

La souffrance l'avait rapproché des autres – paradoxalement, alors que sa peur bleue avait été l'isolement provoqué par la perte de son statut, il ne se sentait plus aussi seul. Au moins, dans un petit coin du monde, au moins, par une froide journée d'hiver, y avait-il un lien avec les autres. Une touche humaine. Toute faible d'abord, comme un son entendu de loin, mais qui se faisait de plus en plus retentissante. La reconnaissance d'un lien plus fort que leurs expériences de vie différentes.

Il n'acceptait plus la souffrance comme faisant partie inévitable de l'existence. Avant, un haussement d'épaules aurait suffi. Il avait suffisamment à faire pour avoir une minute afin de se préoccuper des autres. Une fois, il avait été frappé par un mot d'Abraham Heschel sur la surprise qu'il ressentait quand il voyait le mal. Quand il se sentait vivant, il ressentait le mal des autres. Le mal n'était plus une fatalité inéluctable, acceptée avec un regret calme et indifférent, mais une claque en pleine figure, quelque chose à refuser d'emblée. Il savait maintenant que le choix lui était donné.

L'essentiel était pour lui d'être présent, juste là, complètement disponible, et non plus cherchant les clés de l'avenir ou du passé. Inhalant à pleins poumons l'odeur de l'existence du moment. Présent aux autres et donc ayant l'audace d'être touché par eux. Effleuré par la vie en un instant de bonheur.

6
Sans illusions

CLARA ARRIVAIT à peine à marcher dans la rue. Le vent l'arrêtait à chaque pas – c'était ainsi qu'elle ressentait à présent sa vie. Impossible d'avancer. Entraves à chaque pas. Sa vie n'était finalement qu'une attente sans fin. Qu'attendait-elle ?

Clara la douce portait en elle une rage qui la tuait. En quelques mois, sa vie était devenue un enfer. Les rumeurs sur le mauvais fonctionnement de sa société n'étaient que le début. La crise économique avait porté le coup décisif. Les fonds ne rentraient plus. Après des années de travail, l'inévitable s'était imposé : on avait dû mettre la clé sous la porte.

Les adieux étaient pleins d'émotion, mais Clara n'avait pas d'émotions à partager. Sa tête était prête à exploser. À quoi bon tout ça ? À quoi bon tous ces efforts, pendant des années ? Les sourires forcés aux soirées de bienfaisance, les tenues soignées, les relations cultivées, se faire violence pour dire la chose juste... Tout ceci pour terminer dans le vide.

Elle avait besoin d'autre chose, un besoin terse et strident qui ne la laissait pas tranquille. Comment se défaire de cette douleur constante ? Plus rien n'avait de sens. À l'inverse des rues new-yorkaises bien régies par la grille, elle n'arrivait plus à naviguer dans le labyrinthe de la vie.

Elle avait besoin de réponses de manière urgente, immédiate, pour pouvoir respirer davantage. Quel sens y avait-il encore à attendre ?

Elle était tourmentée par ses défaites, se souvenait de ses ennemis et prenait un malin plaisir à s'imaginer dans les pires scénarios catastrophe, et à tester si elle pourrait survivre.

Souvent, elle ne pouvait pas. Elle avait d'ailleurs l'impression qu'elle ne le pouvait même pas maintenant. Le sentiment d'impuissance était envahissant. Au milieu de ce monde qui s'effondrait, elle se trouvait en face d'un mur d'impossibilité.

Clara restait cloîtrée dans son appartement, sans sortir, sans pouvoir ouvrir ses yeux ou les fenêtres. Elle croyait n'avoir plus rien à dire à personne, et même si elle s'efforçait d'orchestrer une tentative de conversation, elle était sûre que personne ne la comprendrait. Karine était enfermée dans sa recherche maniaque et disciplinée d'une réussite dont le sens échappait à Clara. Bertrand était absent, concentré qu'il était sur la nécessité de faire marcher le ménage et de payer les factures. Michel était en train de traverser sa propre transformation, que Clara ne comprenait pas, qui lui semblait éloignée, abstraite et presque ridicule. Clara, elle, se noyait dans ses questions, sans rayon de soleil, sans perspective de sortie. Elle qui avait voulu bien vivre sa vie, pensant au bien des autres et non pas seulement à son compte en banque, elle qui avait voulu trouver du plaisir à ce qu'elle faisait, elle se trouvait tout aussi frappée par la crise que ses acteurs principaux, banquiers à Wall Street. Quel était alors le sens de ses sacrifices, pourquoi avoir vécu pendant des années en gagnant un dixième de ce qu'elle aurait pu gagner à Wall Street, si elle se retrouvait aujourd'hui au même point ? Son esprit de sacrifice l'avait menée non seulement à la catastrophe financière, mais aussi à une crise morale dont l'ampleur n'était en rien inférieure à celles de Bertrand ou de Michel. L'organisation à laquelle elle avait dédié sa vie était morte. Elle n'avait pas d'épargne comme coussin de sécurité. Sa vie, vouée à la recherche d'un sens imaginé, n'avait en réalité aucune signification. Elle n'avait été qu'un pion dans un jeu qui la dépassait, un jeu politique entre le directeur de son agence, ses amis et ennemis à Washington, et des donneurs de fonds comme Alyson qui aujourd'hui, frileux, avaient disparu de la circulation.

Clara ne s'intéressait pas à ce qui était arrivé à Alyson, qu'elle avait jadis tant courtisée. Elle ne voulait pas faire un spectacle de sa défaite. D'ailleurs, les soirées somptueuses comme celles dont elle avait l'habitude avant la crise se faisaient rares. Plus personne n'avait les moyens de les organiser, et les invités potentiels, qui se serraient tous la ceinture, n'avaient ni l'argent à y dépenser, ni l'envie de sortir. Alyson était certainement cloîtrée dans son château à la campagne, déplorant sa solitude. Clara n'avait que faire de son destin, elle avait passé suffisamment de temps à caresser son ego. Il ne lui restait plus de forces.

Les revenus de Bertrand n'étaient pas suffisants pour couvrir les coûts de leur appartement, et cet appartement était devenu impossible à vendre. Il faudrait donc porter le fardeau jusqu'au bout. Si Clara en avait eu l'énergie, elle aurait dû envisager un déménagement, dans un quartier plus huppé ou même à l'extérieur. Mais les lettres de rappel s'accumulaient sans qu'elle ait le courage de les ouvrir. Un autre jour, se disait-elle. Puis elle cachait la pile pour que Bertrand ne réalise pas l'ampleur de sa détresse. Parfois, elle en était à espérer que tout s'arrête, qu'elle n'ait plus à traverser la noirceur d'une journée de plus. Dompter cette douleur aiguë qui lui traversait la tête, quel soulagement. Toutes les portes lui semblaient fermées.

Bertrand, lui, travaillait de plus en plus, espérant obtenir une promotion, mais les seules promotions disponibles étaient de garder son boulot. Il avait l'impression de s'enfoncer, travaillant de plus en plus pour conserver de moins en moins. Les lundis lui faisaient peur – il ne savait pas s'il aurait la force de confronter encore une semaine de ce travail sans répit, de rentrer tous les soirs après minuit pour recommencer le lendemain avec un lever à cinq heures. Il se sentait abruti par cet enchaînement de journées sans fin, sans signification. Il voyait à peine Clara et donc ne comprenait pas l'état dans lequel elle se trouvait.

Bertrand contemplait la désolation de la ville autour de lui, ravagée tel un champ de bataille. Bon nombre de ses amis avaient été licenciés dans ces restructurations de masse qui avaient secoué Wall Street. Les anciens employés de Bear Stearns, premières victimes de la crise, s'estimaient maintenant chanceux de s'être retrouvés sur le pavé avant que la masse des financiers chômeurs ne fasse de la compétition dans la recherche d'un poste dans la finance un exercice insoutenable. Les maisons dans les stations balnéaires des Hamptons, jadis convoitées comme ultime signe de réussite, restaient maintenant vides sur leurs plages désertes et n'attiraient plus ne fût-ce qu'une visite, malgré des baisses de prix successives. Les millionnaires d'antan, relégués au statut de simples citoyens, étaient contraints de se défaire de leurs demeures, désormais accessibles à des prix miraculeux pour le bénéfice de ceux qui pouvaient payer comptant, car les emprunts immobiliers n'étaient quasiment plus disponibles. Les écoles privées, où il était impossible d'obtenir une place, se battaient désormais pour retenir les élèves ; par un effet pervers curieusement vertueux, les écoles publiques de Manhattan étaient devenues meilleures grâce à l'afflux de tous ces bons élèves qui étaient désormais exclus des écoles privées.

D'autre part, les queues pour la soupe devenaient de plus en plus longues. Bertrand était passé à côté d'un centre qui distribuait la soupe populaire et s'était vu obligé de détourner son regard. Dans la queue, il avait ainsi vu le miroir de sa ville adorée : des familles pleines de peur pour leurs enfants, des artistes qui n'avaient pas encore perdu leur fringale alternative, quelques hommes d'affaires en costume, probablement des commerciaux qui semblaient être de retour d'un entretien. Certains cachaient leur visage de honte ; képis et lunettes noires de rigueur, comme chez des stars hollywoodiennes qui veulent éviter l'attention de la presse mais finissent par ne plus être dérangées. D'autres baissaient simplement la tête, comme s'ils s'imposaient une réflexion sur ce qui aurait pu les amener jusque-là. Les habitués étaient trahis par leur confiance et montraient presque de la dérision vis-à-vis des nouveaux arrivants, comme pour dire : ah, vous croyiez que vous étiez différents de nous ?

Comment continuer, comment se défaire de ce malaise qui l'envahissait ? Était-ce un sens de tension aiguisé, conflit racial jamais apaisé, jalousie accaparante ? Ou bien y avait-il dans ces scènes de déchéance une goutte d'humanité retrouvée, par-delà les différences de quartier, d'accent, de goûts culinaires et de mode de transport qui tranchent les différences entre les New-Yorkais ? Au moins, devant la fin et le malheur, tout le monde était égal.

Bertrand avait noté deux types d'attitudes parmi ses amis. Beaucoup s'accrochaient à ce qui leur restait de signes de distinction, comme si leur honneur tenait à un bon repas au restaurant suivi de généreux pourboires, à un dernier week-end à la mer, à des points accumulés dans le programme de fidélité des compagnies aériennes (il avait connu des amis capables de voler pour déjeuner à Boston ou dîner à San Francisco, dans le seul but de préserver leur statut d'élite et leur accès privilégié aux salles d'attente, qui leur évitaient de se mêler au commun de l'humanité). Leur existence même semblait menacée par leur incapacité à se démarquer d'autrui, comme si leur vie consistait à être traités différemment.

D'autres, au contraire, semblaient avoir découvert qu'ils n'étaient pas si différents que ça. L'expérience du malheur offrait une fenêtre inespérée sur la souffrance d'autrui – pas seulement la souffrance identique à la leur, celle de ne pas pouvoir nourrir leur famille, d'être en danger de perdre sa maison, de se voir inutile, mais la souffrance en général. « Dieu merci pour les gens qui souffrent », avait même ironisé un ami. « Sans eux, le monde serait un bien triste endroit. »

Il avait l'impression que la ville était en chute libre, avec la force d'un plateau de vaisselle catapulté du haut d'un escalier. Un espoir pour sa ville tant aimée, la ville rebelle qui offrait une scène à toutes les ambitions, à toutes les excentricités, était-il encore possible ? Il voulait y croire désespérément, se levait chaque jour avec le même espoir presque enfantin, une obstination à croire de plus en plus sombre car démentie la veille.

Le déclin de New York était devenu le fantôme à abattre dans son esprit. Il se réveillait dans des sueurs froides, en sursaut, se demandant si ce cauchemar allait un jour être terminé ou s'il était précurseur d'une autre catastrophe, bien plus difficile à appréhender. Assistait-on à la fin d'une civilisation ? New York, qui avait dominé la scène mondiale au XXe siècle (et surtout dans la deuxième moitié), était-elle à bout de souffle ? Déjà, avant la crise, Londres commençait à dépasser New York en tant que première place financière mondiale, l'art ne venait plus forcément de ses lofts et les médias traditionnels, journaux et chaînes de télévision, cédaient la place aux nouveaux médias qui venaient souvent de la côte ouest. Était-ce la fin de l'Empire ?

La possibilité d'un déclin final était dans tous les esprits, mais jamais discutée ouvertement. Éviter ce genre de conversation faisait partie du code non écrit mais partagé de tous les New-Yorkais ; le briser serait l'équivalent de se déclarer traître à la ville. Et pourtant, les signes étaient là, indéniables, une tristesse d'automne qui planait sur Central Park, une brume d'hésitation sur les dîners en ville. Beaucoup de relectures de Spengler…

Le pire serait la fin du monde tel qu'il était vécu à New York, de ce monde démesuré, illimité, hyperbolique. New York était la ville romantique par excellence : la ville de l'apothéose du moi. Si les années 80 avaient marqué l'ultime glorification de l'individu et de sa capacité à tracer un destin, à poursuivre ses objectifs et à trouver le bonheur dans le succès, les années 90 avaient introduit une vision plus nuancée de l'harmonie de l'individu avec « les autres » – la communauté et la nature. Les années 00, qui pourraient par une ironie du langage être nommées « années nulles », avaient été inaugurées par le 11-Septembre pour se terminer par la plus grande crise du siècle. Était-ce une décennie perdue, à rayer des calendriers de l'histoire, ou pire, le signe d'un déclin qui s'amorce et de désastres encore à venir ?

Une émission de radio populaire à New York fit ainsi une enquête sur les bonnes choses de la décennie 00, avec des résultats surprenants : de la renaissance des jardins potagers à la possibilité de circuler en ville à bicyclette, c'était le retour à la vie simple qui tenait le haut du pavé. D'autres parlaient de l'invention du microcrédit ou de la renaissance de l'engagement politique et civique à la suite de l'élection de Barack Obama. Seulement une décennie avant, à la fin des années 90, ce qui avait marqué les esprits était l'évolution technologique et les changements qu'elle apportait. La croyance positiviste dans le progrès, personnifiée par la technologie, avait le vent en poupe. Le vent avait bien changé de cap depuis ce temps-là : Bertrand en avait gardé une amertume dans la bouche, lui qui avait été l'un des premiers champions de l'Internet. À l'époque, on disait que l'Internet allait changer la vie. Ce qui avait changé, c'était la volonté de l'esprit humain de subir et d'engendrer ce changement. La technologie avait-elle vraiment changé le monde ? La communication, rendue plus facile, avait sans doute multiplié les choix disponibles dans la vie de chacun. Mais ce mode de vie un peu plus accessible n'avait en rien entamé une soif d'autre chose, profondément ancrée dans l'esprit humain.

Si le 11-Septembre avait porté une blessure à l'idéologie de l'individu roi, même tamisé par un renouveau d'intérêt pour la communauté, la crise présente risquait de lui porter un coup fatal. En effet, on voyait se multiplier dans la rude grisaille de la ville des âmes prises de Wanderlust, s'aventurant en deçà des sentiers battus du succès et de la réussite matérielle. Donner du temps et de l'argent à des organisations caritatives était devenu un passage obligé pour tout New-Yorkais qui se respectait. Mais comme si quelques heures rédemptrices ne suffisaient pas plus pour

sauver les âmes que les indulgences, de plus en plus nombreux étaient ceux qui cherchaient « autre chose » : la philosophie orientale faisait désormais partie du jargon de
ceux qui se croyaient être au fait de ce qui se passait à New
York. Les cours de yoga après le bureau étaient de rigueur,
et la pratique de la méditation respectée comme signe d'une
conscience évoluée, de même que l'on respectait une femme
à la mode qui dénichait un créateur avant tout le monde.
Qui plus est, les journaux étaient pleins de conseils sur un
retour à la vie simple, et sur le net, des groupes se formaient
pour partager les secrets d'une vie sans ostentation. Une
journaliste avait essayé de vivre pendant un an sans impact
nocif sur l'environnement, se privant d'électricité pour en
revenir aux histoires à la lueur des bougies pendant les longues soirées d'hiver. Ce retour à une vie utopique, presque
à l'ancienne, fascinait les New-Yorkais, qui se faisaient un
plaisir de partager leur intérêt pour une vie ascétique lors
de dîners dans les restaurants climatisés.

Si la ville se relevait, les destins individuels se recom-
poseraient aussi, même s'il y aurait des incidents de parcours et des morts en bataille. On s'appliquerait à cacher
sa pitié vis-à-vis de ces stars de la pub, gérant une agence
de publicité un jour et partis s'installer dans le Kentucky
le lendemain. La traduction de l'euphémisme « il est parti
s'installer dans le Midwest » était toujours « il n'a pas pu
réussir à New York », la ville carnivore, cannibale, avare
de chair humaine, l'a mâché et recraché telle une viande
subalterne. De même, selon un code tacite, accepté par tout
le monde mais jamais reconnu sous peine d'expulsion de la

bonne société new-yorkaise, on savait traduire « il se retire pour passer plus de temps avec sa famille et poursuivre d'autres intérêts », par « il a été licencié », évitant peut-être de justesse ce gardien emblématique qui vient vous escorter à votre bureau devant le regard ébahi des collègues, ce gardien qui fait partie de la mythologie de Wall Street.

Ce gardien, Bertrand l'avait vu, pas souvent mais assez pour en avoir été marqué à vie. Le gardien n'était pas celui qui saluait les employés avec un optimisme bon enfant quand ils entraient dans l'immeuble chaque matin. Bill était le chouchou de tout le monde, le complément du grand bol de café de chez Starbucks emporté sur le chemin du bureau. « Travaillez bien », semblait dire son sourire étincelant. Les premiers jours, Bertrand s'était senti revigoré par ce sourire ensoleillé. Avec un peu de bonne volonté, rien ne semblait impossible à qui était accueilli ainsi. Par la suite, épuisé par des nuits sans sommeil passées à structurer des fusions et à réviser les modèles de ses analystes, il essayait de fuir ce sourire trop engageant – c'était comme si cet optimisme sans fond lui demandait plus que son cerveau engourdi ne pouvait fournir – il empêchait l'automatisme de son esprit ces jours-là, esprit uniquement concentré sur l'accomplissement de ces tâches mécaniques et autres opérations automatiques qu'il savait être son métier. La nuit, son esprit devenait tortueux et trouvait autant de ruelles sinueuses pour échapper à la tâche que de lettres sur le clavier qui le tourmentait, et il avait besoin de cet automatisme pour garder son cerveau rebelle concentré.

Le sourire de Bill, empreint d'un optimisme de bon aloi qui était son uniforme de travail, évoquait néanmoins tout un monde de sentiments et de valeurs contre lesquels il s'était barricadé, dans le seul but d'éviter la frustration de ne pas y appartenir. Ce sourire, factice qu'il était, lui rappelait néanmoins que la chaleur humaine existait et qu'il était possible d'avoir de la joie. Les questions polies sur la famille de Bill et la santé de ses enfants (suivies sans faute d'un « toujours plus grands ! ») étaient un rappel agaçant qu'il existait hors de la cohue de Wall Street une vie de famille, vie que Bertrand s'était en réalité interdite, animé qu'il était par les principes monastiques du succès. Après tout, ce paresseux de Bill rentrait chez lui à 18 h, heure que Bertrand considérait comme le milieu de l'après-midi, un tiers du travail de la journée étant encore devant lui…

Mais le gardien qui venait récupérer les licenciés n'était pas Bill, peut-être par peur de trop de familiarité, ou encore pour préserver l'image de marque qui transpirait dans cet accueil joyeux aux portes de la société – après tout, l'image d'Épinal du soleil matinal pourrait être ternie par des tâches moins juteuses dont on se serait acquitté la veille. Le gardien chargé de l'exécution du coupable était méconnu de tout le monde : est-ce qu'ils le gardaient de côté, peut-être au sous-sol, pour le tenir prêt le cas échéant ? Est-ce qu'il était recruté pour l'occasion ? Toujours est-il que sa carrure impressionnante et son allure sans gêne étaient parfaites pour l'occasion. Impossible de résister à la force brute. Était-ce vraiment nécessaire ? Y avait-il eu des cas de résistance physique, des tentatives de fuite ? Cela aurait été une scène bien curieuse, l'irruption d'un film d'action au sein des bureaux feutrés de la banque.

Ce gardien restait impassible face au désarroi général : tel un bourreau à la tâche, il demandait sans ambages au licencié de vider les lieux. Un non sec et rapide fusait en réponse à sa question de savoir s'il pouvait fermer son ordinateur (après tout, des fichiers sensibles pourraient être volés). Un deuxième non succédait à la question de savoir si le pauvre démuni pouvait récupérer ses affaires ; celles-ci lui seraient envoyées par la poste. Inutile de riposter. Pas de temps pour des adieux larmoyants : alors qu'une ou deux personnes s'efforçaient de souhaiter bonne chance tout en passant à leur prochaine tâche, la plupart d'entre elles, silencieuses, restaient la tête baissée sur leurs papiers, affaissées sur leur bureaux protecteurs, évitant comme la peste le regard du collègue sortant de peur que sa disgrâce ne se répande sur eux.

Les histoires de licenciement faisaient toujours partie intégrante de l'imagination de ce Wall Street si fier de sa dureté : on parlait de badges d'accès qui ne marchaient plus, d'ordinateurs qui refusaient de s'allumer, et d'employés qui, dans leur naïveté, appelaient le département d'informatique pour être informés que leur compte n'existait plus. Le coup du gardien était un classique, monnaie courante pour la vieille garde de Wall Street, ces garçons de la rue qui aimaient leur steak chez Peter Luger aussi saignant ainsi que leur démarche. C'était d'ailleurs souvent chez Peter Luger, autour de leur steak favori et d'une bouteille de vin rouge sans distinction, que ces décisions étaient prises. Bertrand les y voyait régulièrement, des tables houleuses où les blagues gaillardes succédaient aux chuchotements calfeutrés, et ne pouvait s'empêcher de se demander quels seraient les dégâts du lendemain.

On chuchotait que Peter Luger était aussi bien un lieu de célébration de victoires qu'une boussole de restructurations à venir. Bertrand, qui aimait le bon steak comme tout financier qui se respecte, fréquentait aussi Peter Luger mais n'avait jamais les bonnes tables. Il devait commander des semaines à l'avance – et pire, poireauter dans la salle d'attente, tableau de la honte pour les banquiers trop jeunes et mal connus. À l'arrivée, il observait toujours avec stupéfaction les tables vides – jusqu'à ce qu'un poids lourd de Wall Street arrive, gesticulant sur son portable, précédé de son entourage comme une célébrité d'Hollywood. Toujours des tables disponibles pour ceux-là, loyauté que Wall Street repayait de bon gré, car toutes ces tables se retrouvaient occupées soir après soir, comme par miracle.

C'était peut-être le quartier, un quartier qui craignait encore dans une ville désormais purifiée de ce genre de tares par Giuliani, le maire de la purge. Peut-être l'ambiance, légèrement corsée, qui rappelait à ces rois de Wall Street les bars irlandais ou les clubs de boxe de leur enfance, avec juste ce qu'il fallait d'épices pour calmer des esprits que la vraie élégance continuait à inquiéter. La beauté leur paraissait toujours étrangère, et son intrusion dans un monde brutal menaçait l'équilibre établi des choses. Peter Luger offrait donc un endroit idéal pour cette vieille garde – loin des fioritures des repas concoctés par des chefs célèbres, loin de la scène sociale des restaurants à la mode. Peter Luger se vantait d'offrir une seule chose – des steaks saignants, imbus de traditions comme ses clients étaient imbus de leur succès, mais offrait en prime une ambiance moins que feutrée qui rappelait sans états d'âme un New York d'autrefois, le New York du combat dans les rues, de la guerre des gangs et de la répartition des territoires. Chez Peter Luger, on payait comptant, moins par attachement au bon vieux temps que pour arranger la clientèle. Les durs de Wall Street y côtoyaient la mafia ou ce qu'il en restait à New York, les deux petits mondes se serrant les coudes avec une bonhomie gaillarde et un respect mal dissimulé.

Aujourd'hui, avait-il entendu dire, Peter Luger était vide. Les New-Yorkais qui aimaient y aller n'avaient plus de tripes, et il n'était plus nécessaire d'aller manger du steak pour sentir l'odeur du sang dans les rues.

Bertrand, lui, était de moins en moins impressionné. Offrir sa vie sur un plateau, à quoi bon ? Personne ne lui dirait merci.

On attendait de lui trop de compromis, et une fois sur cette voie il n'y avait pas forcément de porte de sortie. Le déclin de cette ville serait peut-être la fin de cette vie qu'il avait tant désirée, mais qu'il ne trouvait plus tellement désirable, maintenant qu'il voyait le prix à payer. À moins que, comme pour Clara, sa propre destruction ne devienne son désir ultime.

7
Lueurs d'espoir

UNE VIE SIMPLE, radicalement simple. C'était ce à quoi Bertrand avait toujours aspiré.

Il pensait maintenant à sa vie passée comme à un enchevêtrement de choses inutiles, à une pile de paperasse sur son bureau par laquelle il devait passer, mais qui ne lui apportait rien. Toute cette complexité qui l'avait toujours guidé, et cette peur que s'en débarrasser serait laisser tomber son existence. C'était l'inverse.

Les feuilles qui tombaient en automne apportaient toujours la paix. La grisaille qui s'installait alors était une forme de lucidité : le regard pouvait percer à travers les arbres, sans l'encombrement des feuillages superflus. Pour Bertrand, la simplicité de l'automne était comme une libération de l'été exubérant, une possibilité de se concentrer sur l'essentiel. Les distractions l'ennuyaient, car elles l'empêchaient de participer à la vie dans son essence. Sa pratique de la méditation lui avait en effet ouvert la porte d'une telle concentration sur ce qu'il faisait qu'il en oubliait son existence elle-même. Une forme de libération de son identité, qui lui permettait de se sentir entièrement présent dans ce qu'il faisait, et d'en oublier la personnalité qui le détachait des autres.

L'envie lui prenait de faire pousser des choses : lui qui croyait être l'ultime citadin, il avait l'impression de participer à la terre et d'en faire partie. Être parmi les animaux lui donnait la sensation de revivre ; il avait appris d'eux la possibilité de vivre dans l'instant. Sentir contre lui le souffle chaud de son chien lui donnait le sentiment de vivre, d'être là, présent, complètement, encore plus que ses exercices de méditation, la routine de sa discipline journalière.

La discipline journalière était pourtant importante pour lui. Alors qu'il avait commencé à la concevoir presque médicalement, comme un support à une existence qui lui semblait dénuée de tout sens, s'y soumettre lui avait fait découvrir une autre manière de vivre. S'il parvenait à s'oublier lui-même, à calmer son cerveau toujours en course effrénée, il y découvrait un espace de vie où les réponses avaient moins d'importance que le sens d'être vivant lui-même. Il sentait le soleil caresser son visage, ou entendait le bruit de l'averse qui tapait sur les fenêtres. Ses sens en alerte comme un chien de chasse, il sentait la vie passer en lui comme un courant électrique. Autrefois, ce bruit lui aurait rappelé le temps qui passe et l'aurait angoissé ; aujourd'hui, il évoquait le monde extérieur dont il faisait partie. Il sentait que bon nombre de questions qu'il se posait auparavant étaient liées à son insistance à se définir comme séparé de ce qui l'entourait, un individu seul dans un monde qu'il ne comprenait pas. S'il laissait de côté ces questions de recherche identitaire et se laissait simplement entrer dans le monde autour de lui, les questions disparaissaient au profit du simple souffle de la vie. En goûtant sa respiration, il se sentait être dans le monde – sans prétention de le comprendre, mais palpitant du sentiment tout frais d'être intégré en lui, et donc quelque part compris.

Le monde lui paraissait alors bleu, comme le bleu infini d'un tableau de Cézanne dont Kelsey avait remarqué que les deux tiers en étaient occupés par une énorme tache bleue, comme si la Méditerranée avait inondé le tableau. La vue du port de l'Estaque n'avait pas d'importance, mais ce qui l'avait frappé était ce bleu sans fin. Kelsey disait être hanté par ce bleu hypnotique, et dans sa réponse à Cézanne créa un tableau où tous les détails sans importance tels que le port, les arbres et les maisons disparaissaient au profit d'un énorme espace bleu.

Il avait entendu Jean Vanier parler de la paix comme acceptation de la réalité. Ne pas vivre dans l'imagination, ne pas imaginer ce qui aurait pu être, ce qui pourrait arriver – ou ne pas arriver – mais aimer la réalité telle qu'elle est. Aimer le monde tel qu'il est était pour lui un paradoxe – le monde n'était-il pas un vaste champ d'œuvre pour les ambitions individuelles, un monde laid, aveugle et tourmenté, qui devait être dressé tel un animal sauvage par la volonté transformatrice de l'homme ? Il se souvenait de sa vie avant la chute, gouvernée par un désir obstiné de changer le monde. Ses efforts allaient toujours dans la direction du changement – parfois, il avait l'impression d'être un de ces êtres qui ont grossi, et qui essaient avec une obstination naïve d'enfiler un vêtement qui date d'avant tous leurs kilos pris. Le vocabulaire qu'il employait, jargon typique de Wall Street, tournait toujours autour de l'idée du changement, et d'une vénération à peine dissimulée de la force – son succès était mesuré à l'aune de son influence, et son importance à l'« impact » qu'il avait sur le monde. Cette idée d'aimer le monde tel qu'il est lui aurait paru à l'époque saugrenue – en effet, n'était-ce pas son rôle de modifier le monde pour qu'il soit apte à satisfaire les désirs des humains ? Il faisait partie de ces hommes pleins de confiance en leurs propres forces, qui croient en leur omniscience plus qu'en la beauté du monde qui les entoure… Arranger le monde selon ses idées était donc une priorité : après tout, tout jeune homme new-yorkais éduqué, fraîchement émoulu des universités d'élite de la côte est, de même que tout jeune entrepreneur ou spécialiste du capital-risque à peine débarqué dans la Silicon Valley, se devait d'annoncer fièrement son intention de changer le monde. Suivant la maxime de Steve Jobs, le PDG légendaire d'Apple : « Voulez-vous vendre des yaourts ou bien changer le monde ? » Si tous leurs désirs avaient été exaucés, le monde aurait été changé plusieurs fois et il n'y aurait plus de yaourts, faute de vendeurs.

Comment savoir ce qui était nécessaire pour le monde ? Cela devrait être clair pour tout New-Yorkais bien éduqué et fier de son succès. Une organisation plus rationnelle du monde vaudrait certainement mieux que la pagaille ambiante... Le succès économique apporte toujours une renaissance des idéaux des Lumières, et la confiance en notre rationalité rime avec croyance en notre avenir.

Drôle comme le superlatif, dans cette ville exagérée qu'était New York, était devenu la norme. Une ville qui vous poussait hors de vos limites, où le contentement était signe de végétation. Accepter le destin serait toujours un signe de médiocrité dans cette ville de jeteurs de gants, de duellistes face à un destin qui ne plierait pas. Et pourtant cette même ville, croyant passionnément à sa force et à son pouvoir face à tout destin récalcitrant, venait d'être le théâtre d'une tragédie grecque sans pareil.

Aujourd'hui, tout le théâtre de Wall Street lui paraissait bruit lointain, comme le tapotement de la pluie sur les fenêtres à l'extérieur. Il se souvenait avoir entendu le mot de CS Lewis selon lequel l'enfer était de vivre sa vie exactement comme on l'avait imaginé. Pendant quelques décennies, il avait connu l'enfer – l'ennui monotone de se fixer des objectifs et de les atteindre, sans autre réconfort que la croyance en ses propres forces, et donc l'obligation de confirmer cette puissance à chaque fois. Rien de plus éphémère – sur Wall Street, on n'est jamais aussi bon que sa dernière transaction. Comme le disait toujours son chef : « Qu'avez-vous fait pour moi aujourd'hui ? » Prouver et prouver encore sa puissance était devenu la drogue qui le faisait marcher. Il avait entendu à la radio un drogué raconter que l'un des attraits de la drogue était de finalement mettre le doigt sur ce qui lui manquait : non pas une nouvelle copine, une nouvelle voiture ou un nouveau loft, mais tout simplement une dose d'héroïne. La vie ainsi clarifiée était plus facile à gérer ; au lieu de se consacrer au prochain désir toujours aussi futile, on savait satisfaire ses angoisses... Bertrand se souvenait avoir pensé qu'il avait trouvé une drogue alternative. Un travail assommant, prenant, qui ne laissait de temps pour rien d'autre, mais toujours suffisamment d'énergie pour désirer la prochaine dose. Cette confirmation de ses capacités et finalement de son existence, qui lui donnait un répit temporaire. À peine l'effet dissipé, on se prenait à désirer une reprise.

Quand il méditait, il se sentait revivre. Il n'avait plus besoin de cette drogue du « samsara » – l'éternelle transformation du désir humain et l'éternelle poursuite du prochain désir. Il pouvait se sentir libéré, finalement intégré dans un monde qui ne le rejetait pas. Il pouvait finalement connaître le flux, la capacité à être complètement, sans réserves, présent dans l'ici et maintenant. Concentré sur le moment sans essayer de se cacher dans le passé ou de fuir dans l'avenir. L'expérience d'être vivant était plus importante que l'explication. Cette explication serait d'ailleurs superflue.

Clara, elle, avait l'impression de se réveiller après un long sommeil. Elle ne savait pas très bien ce qui avait provoqué en elle le déclic. Elle avait essayé différentes choses avec très peu de conviction, sans vraiment vouloir y croire. L'acupuncture l'avait ennuyée, et sur la méditation elle n'arrivait pas à se concentrer. Les médicaments, censés de nos jours apporter la solution à tous les problèmes existentiels, n'avaient aucun effet sur elle.

Mais un jour, en se réveillant, elle aussi était capable d'être là, sans se juger et sans se détruire. Elle se demanda pourquoi ce matin était différent, pourquoi ce sens de bonheur que rien ne pouvait étouffer. Puis elle se souvint qu'en rentrant d'un entretien, la veille, elle avait aperçu un petit chien assis au coin de la rue. Il était visiblement perdu, effrayé et sans défense. Clara ne put s'empêcher de lui caresser le cou. Ce cou n'était pas habitué aux caresses – le chien sursauta, prêt à s'enfuir, mais tout à coup, par un geste d'une tendresse subite, il lui lécha la main.

Ce petit être sans défense, avec un passé certainement bien chargé, était étendu à ses côtés. Tout à coup, quelqu'un avait besoin d'elle. Pas ces enfants qu'elle essayait de sauver en Afrique sans les connaître, mais un petit être réel, ron-flant de plaisir, qui réclamerait sa tendresse incessamment sous peu. Un être qui vivait dans l'instant et était toujours prêt à pardonner. Il n'avait que faire de ses états d'âme, mais les acceptait complètement. Si seulement les êtres humains pouvaient en être là, se dit-elle. Ce petit être fra-gile lui donna tout d'un coup toute l'envie de vivre que les médicaments n'avaient jamais su lui procurer.

Elle étendit la main et il ouvrit les yeux avec un gro-gnement de plaisir, les yeux grands ouverts vers ce nouveau monde de chaleur qui s'était ouvert à lui. C'était la vie. Il n'y avait rien de mieux à dire.

8

Le renouveau

Inquietum est cor nostrum, donec requiescat in Te.
Notre âme est inquiète jusqu'à ce qu'elle repose en Toi.

Saint Augustin

Le plus important dans la vie
d'une personne est sa relation à l'infini.

Carl Jung

 E BONHEUR semble s'être installé ici », murmura Michel en entrant dans le jardin. Rien d'autre, dans sa tête, ne semblait avoir d'existence réelle. Toute autre chose ne saurait être qu'imaginaire, un fantôme produit par son imagination, alors que les feuilles argentées, touchées par des rayons de soleil obliques, semblaient contenir la réalité de l'existence. La réalité était tangible de son plein poids – dans le murmure des feuilles, le souffle du vent, le calme des rochers et le jeu de l'ombre et de la lumière sur l'herbe brûlée.

La crise l'avait vidé, et il avait vécu pendant des mois comme un fantôme, sans avenir ni raison d'être. Pourtant, cette purge avait fait le ménage de tout désir superficiel, de toute force destructrice, de tout artifice distrayant. Il régnait en lui un grand calme. Ce silence, qui lui faisait autrefois tellement peur, était maintenant son pain quotidien. Cet été, dans ce vide semblait se profiler une nouvelle veine, un mouvement de vie à peine perceptible, mais qui l'entraînait déjà vers de nouvelles explorations. Ce désir de créer et de faire était encore confus, mais Michel sentait sa présence discrète de jour en jour – une possibilité de vivre autrement. Toutes ces années de fêtes et de gains lui paraissaient maintenant fastidieuses – des années entières dont il ne gardait aucun souvenir, comme s'il ne s'était rien passé du tout. Sa mémoire avait effacé tout signe de ces années comme une vague qui fait disparaître un dessin sur le sable.

Michel était comme un amnésique qui se réveille de son sommeil, lui qui croyait tout au contraire que la crise l'avait amené à une hibernation. Rien ne subsistait de ces années perdues, alors que maintenant sa vie, si vide à l'égard des autres, lui paraissait à lui pleine d'événements et d'intérêt. Karine notait qu'il savourait davantage chaque moment, et lui avoua un jour ne pas avoir compris d'où venait cette nouvelle soif de vivre.

C'était comme s'il avait été nécessaire de faire le vide de cette vie tapageuse pour pouvoir se tourner vers la vraie vie, enfin aperçue comme on aperçoit par hasard un arbre à travers une porte entrouverte. Un chemin qu'il avait toujours cherché mais n'avait jamais pu trouver – ou avait-il eu peur de le rejoindre par hasard ?

« L'angoisse du vide » – il voyait maintenant sa vie comme une maison viennoise fin de siècle, où chaque espace vide se devait d'être rempli coûte que coûte. Une vie où les sobriquets s'amoncelaient les uns sur les autres sur les étagères, comme si la maison craignait pour son existence si elle n'était pas remplie… Ainsi de sa vie – une vie vécue comme un tableau, pour le spectateur extérieur.

André Breton avait parlé du « pouvoir de frôlement » que les choses ont sur nous. Karine citait souvent ce passage à Michel – elle se souvenait exactement du moment où elle avait lu cet extrait, tellement elle l'avait aimé. Elle était assise au bord d'une piscine, dans le Midi, sous une chaleur tellement étouffante que la cessation de toute activité s'imposait, ouvrant la place à la lecture. Parmi tant de mots lus et oubliés, c'était ce passage-là qu'elle avait retenu car il reflétait bien sa vie. Leur vie, à tous les deux, était faite de « frôlement radical » – un flux infini d'idées, de couleurs et d'impressions qui glissaient sur eux comme des gouttes de pluie, mais sans jamais les toucher vraiment. Il semblait que la vie leur glissait entre les doigts – ils s'efforçaient de la retenir et de la serrer dans leurs bras sans jamais parvenir à la saisir. Le papillon s'envolait comme pour les narguer, les incitant à courir ailleurs, ne fût-ce que pour un regard furtif, la brise d'un vol léger saisi au passage.

Comme à des drogués, il leur avait toujours fallu des impressions plus fortes, rien que pour se sentir vivants. Un collègue de Michel avait remarqué un jour une tendance dans leur bureau – les voyages devaient toujours être au bout du monde, les aventures de plus en plus extrêmes. Au retour, on partageait des photos du Vietnam ou des histoires d'escalade dans les Andes ou l'Himalaya. C'était comme si ce qui était proche ne pouvait plus rien éveiller en eux – des doses d'impressions toujours plus fortes étaient nécessaires pour faire leur effet.

Tout cela, Michel ne l'avait pas compris à l'époque – et il ne faisait que commencer à le ressentir à présent. Cette vie qu'il s'efforçait de saisir de toutes ses forces, et qui lui échappait avec l'élégance d'un papillon, elle était là, offerte à lui, cachée au bord d'un chemin de campagne, comme une fleur des champs entre les herbes folles. Les bouddhistes disent que plutôt que de chasser un papillon, il suffisait de se tenir calme pour que celui-ci vienne se poser sur votre nez. La vie tant recherchée, absente à un point tel qu'il avait douté de son existence, elle était là maintenant, profitant du vide pour s'y installer.

Le vide. Parole tant redoutée. Il avait fallu faire l'expérience de ce vide extrême – une vie vidée de tout accoutrement extérieur, de tout décor, de toutes ses fioritures tant adorées et recherchées, pour sentir, ce jour-là dans le jardin, un menu frôlement – les ailes du papillon sur son nez…

Lors d'une visite au musée d'Art moderne à New York, Michel avait été frappé par les tableaux d'Agnès Martin. Des couleurs neutres – sans couleur – des formes géométriques épurées. Sa vie à lui avait été une accumulation d'erreurs, alors qu'Agnès Martin avait progressé vers une pureté toujours plus grande. Inspirées par les paysages du grand Ouest, ses glaciers et ses montagnes, les couleurs et les formes de ses tableaux devenaient toujours plus pures, toujours plus proches de l'essence, toujours plus éloignées de tout semblant figuratif. À la fin, elle avait arrêté de peindre – ce qui lui était resté, c'était la vie elle-même.

Pour Michel, le désencombrement avait aidé à faire le vide de toutes les choses inessentielles. Dans le silence qui s'était établi, une petite voix s'était fait entendre – voix qui devenait de plus en plus forte au fur et à mesure que le silence autour de lui devenait plus profond. Tout à coup, il était devenu possible de dire les choses, mais aussi de les écouter.

Paradoxalement, la voix devenait plus forte si Michel cessait de penser à lui-même et à son rôle. Ces pensées incessamment tournées vers lui-même, cette absurde tendance à se croire au centre des choses l'avaient en effet empêché de vivre, d'écouter ce qui se passait autour de lui. Il se rappelait comme d'un cauchemar de ces mois et de ces années entières dont il se souvenait à peine car il ne regardait rien, concentré qu'il était sur le drame de sa propre existence. Aucun trépignement de vie, juste un mouvement purement mécanique. Il se souvenait de rentrer dans son appartement new-yorkais, et de s'affaisser sur le canapé, le vide dans l'âme.

Il avait fallu faire le vide total pour laisser la place à la vie.

Karine remarquait en Michel les nuances de ce changement – un clin d'œil riant là où elle ne voyait avant qu'une détermination d'acier, un calme détachement là où une intensité maladive avait jadis guidé sa main. Elle l'observait avec un calme étonnement, d'autant plus que sa vie extérieure n'avait pas beaucoup changé, contrairement à Matt qui avait jeté l'éponge. Il était allé vivre dans un ranch au Nouveau-Mexique, entouré de ses chevaux et de ses montagnes. Karine rigolait un peu : « Maintenant, on va tous se mettre au jardinage et aller élever des chèvres dans le Larzac (ou des chevaux dans le Montana, l'équivalent américain). Trop facile… »

« La question n'est pas de faire du jardinage », ne pouvait pas s'empêcher de penser Michel. « On peut faire du jardinage comme on est banquier. Tout est dans l'esprit avec lequel on fait du jardinage. Ou autre chose… » Mais il ne dit rien.

Karine resterait le dernier soldat de l'individualisme combattant et de l'autoréalisation militante. Elle se persuadait que la crise n'était qu'un incident de parcours. Il fallait se retrousser les manches, baisser la tête et se mettre au boulot. Si l'on y mettait suffisamment d'efforts, les lendemains qui chantent finiraient par arriver. Elle continuait à chercher ce poste si évasif avec toute la force de sa volonté, sa croyance inébranlable. Michel avait presque pitié d'elle, ce bon petit soldat qui piétinait mais s'obstinait à maintenir le rythme de la marche…

Michel, lui, n'essayait plus de rechercher la cohérence – plus de fil conducteur… cette vie bien agencée, avec lui-même en conducteur expert, prenant les décisions et négociant les virages, semblait maintenant une illusion et, pire, n'était même plus désirable. Oui, il ne savait plus ce que l'avenir apporterait et il ne se sentait plus responsable. Il avait appris l'abandon.

Son blog avait quelque peu changé – une écriture plus soigneuse, ciselée. Il prenait plus de temps – et le temps avait une autre qualité. Une écriture nerveuse et fragile comme la vie. En effet, avant, alors qu'il était en pleine activité, il semblait être toujours en attente – pressé, il attendait constamment qu'une chose se termine pour passer à une autre. La vie semblait une éternelle attente, une série de parcours d'un point à l'autre, reliés par ce sentiment commun qu'était l'attente. Attente de quoi ? À peine résolue, on passait à la prochaine activité et à la prochaine attente. Aujourd'hui, au contraire, l'attente calmée, il essayait de vivre chaque moment comme une chose en soi et non plus comme une marche qui mènerait à autre chose. Cet escalier imaginaire n'avait plus de sens : construire quelque chose ? Uniquement si cela accordait une certaine grâce à chaque instant – et non plus le contraire, quand chaque moment n'avait de valeur que s'il menait à quelque chose. Il lui était donc très important de se sentir vivre à chaque moment – de sortir de cette torpeur, de cette non-vie qui l'avait emprisonné jusque-là dans une attente sans fin. L'écriture faisait partie de cette conscience de vivre – quand il commençait à écrire, il se sentait respirer, comme un souffle de vent qui passait sur son front par une journée de chaleur.

L'écriture n'était plus pour lui une chose anodine. Elle avait un effet brûlant – c'était comme si l'écriture devait passer par la destruction. Comme une journée de chaleur où il est impossible de respirer, et où l'on est pourtant amené, irrémédiablement, à sortir du confort des maisons bien aérées pour affronter la chaleur du dehors.

Il ressentait alors un plaisir énorme à chaque instant qui passait – le plaisir de voir une avalanche de feuilles tomber des arbres comme une averse d'été ; la chaleur teintée de tristesse des derniers rayons de soleil de l'automne. L'écriture lui permettait d'explorer le vide qui laissait la place à toutes ces choses.

Une source d'étonnement constant était le hasard présent dans l'écriture. Les textes avaient-ils un destin ? Semblable à ceux qui croyaient à la prédestination des personnes, il avait toujours pensé qu'un texte devait finir par ressortir d'une certaine manière – après tout, il était planifié, structuré d'une certaine façon, et une fois le message principal déterminé, il allait régir la composition, le vocabulaire et la syntaxe pour trouver la meilleure expression. Ce qu'il n'avait pas pu prévoir, c'était que les textes vivaient de leur propre vie – il suffisait de les laisser partir et ils évoluaient de façon imprévisible. Leur vie propre était étrangement intégrée à ce qui se passait dans la vie de Michel, en fonction d'une journée qui prenait tel ou tel tour, d'une humeur, d'un changement de temps, le texte pouvait prendre une allure différente. Le présent avait donc sur les textes un certain « pouvoir de frôlement », comme aurait dit Breton. Difficile de détacher l'écriture de la texture des jours – en les relisant, Michel se souvenait de l'air crispé du matin de l'une, ou de la douceur du soir de l'autre.

Il se souvenait du mot de Jackson Pollock, très influencé par l'art des Indiens d'Amérique, qui avait comparé la peinture à un dessin que l'on fait sur le sable, effacé par la première vague. Cette image l'avait mis mal à l'aise, comme l'aveu d'un manque de sérieux intrinsèque. Ce côté éphémère ne le dérangeait plus, il arrivait maintenant à vivre avec le transitoire. Il n'essayait plus d'ériger un monument – capturer la nonchalance d'une journée d'été qui n'en finissait pas, si c'était possible, serait déjà la perfection. Si un texte pouvait frôler la vie, il en vaudrait la peine.

Il était maintenant frappé par le fait qu'il lui avait fallu tellement de temps pour le réaliser. Pourtant, les choses étaient simples – c'était retrouver leur simplicité qui lui avait manqué. Il se sentait enchaîné à une vie qui n'était pas la sienne – mais pourtant définie par lui-même. Quand on est pris dans une impasse que l'on a choisie, comment débloquer les choses ? Parfois, il s'était rendu compte qu'il piétinait mais, lui qui avait toujours une solution pour tout, ne savait que faire.

S'il avait été prêt à explorer d'autres chemins, peut-être aurait-il pu faire des découvertes. Mais il était trop fier pour avouer qu'il était perdu.

Maintenant, paradoxalement, il en était presque à chérir les impasses – l'anticipation de débloquer les choses et le goût des découvertes le laissait presque avide d'aventures. L'impasse lui présentait un puzzle, une sorte de Rubik's Cube.

Il semblait que les questions qu'il s'était posées ne fussent pas les bonnes. Dans son besoin de certitudes, il avait toujours insisté sur la logique et la cohérence de ce qu'il faisait. De ses études d'anthropologie, il avait appris que les vieilles méthodes positivistes ne tenaient plus ; pourtant, dans la vie pratique et celle des affaires, c'était comme si la nouvelle n'était pas encore arrivée. On était censé se fixer un objectif et s'appliquer de tout son être afin d'y arriver ; les dérives étaient des erreurs et on avait une quantité limitée de jokers. Il gérait donc sa vie en conséquence ; pourtant, son incertitude lancinante le rendait plus royaliste que le roi et il avait besoin d'un sentiment de contrôle total – sinon, le sable sous ses pieds ne le soutiendrait plus. Malgré ses efforts persistants pour « faire croire », la personnalité qu'il s'était ainsi composée n'avait pas plus de réalité tangible que les millions qu'il manipulait sans cesse dans sa tête – une notion totalement abstraite.

Aujourd'hui, en revanche, il n'essayait plus de recréer une personnalité qui semblait l'avoir abandonné en même temps que ses épargnes pendant la crise. De même qu'il ne recherchait plus la cohérence dans l'écriture, il avait cessé de mesurer sa vie en fonction de la cohérence du narratif qu'elle produisait. Au lieu d'essayer de se plier aux contraintes de sa personnalité ainsi définie, sa vie n'était plus centrée sur la définition de son propre caractère, son statut par rapport aux autres et sa place dans la société, mais sur le monde et les choses qui l'entouraient. Libéré de la carapace de sa personnalité, il essayait plutôt de comprendre les choses en elles-mêmes. C'était comme s'il avait une chance de faire partie des choses, de les comprendre telles qu'elles sont, et non pas uniquement par rapport à lui : de manière magique, les choses avaient maintenant une existence en elles-mêmes, ce qui donnait à Michel l'espoir inattendu qu'il existait aussi en dehors de sa propre imagination ; peut-être même pour autrui ?

Finalement, il n'était plus seul, il voyait maintenant à quel point toute sa vie, pourtant gouvernée par la peur de la solitude, l'avait en fait enfermé dans cette solitude tant redoutée. Cloisonné dans son monde, détaché de tout, absorbé par les objectifs sans importance qu'il s'était fixés. Embrouillé dans sa propre vie, qu'il avait pourtant organisée en pensant exclusivement à lui-même. Enfermé dans son monde comme dans une bouteille jetée à la mer. Focalisé sur lui-même, qui était le centre de cet univers glauque et sans issue.

« Chaque défaite de l'ego est une victoire pour l'âme », avait-il entendu un rabbin dire un jour. Il avait fallu qu'il annihile son ego, détruise ses espoirs et le destin qu'il s'était tracé, pour se découvrir capable de vivre. Libéré de ce qui le séparait du reste du monde, il sentait maintenant un lien avec ce qui l'entourait. Lui croyait devoir toujours se battre pour sa place au soleil, sa place était là. Il pouvait en être sûr. Elle n'allait pas lui être retirée telle une promotion. Il ne fallait pas se battre. Elle était là. Il suffisait de vivre.

Les délices de la vie lui étaient donnés, offerts, sans que rien ne lui soit demandé en échange. Il suffisait de tendre la main.

Postface

L'OBJET DE CHAQUE LIVRE est inévitablement l'écriture elle-même, et celui-ci n'est
pas une exception. Au-delà des idées et
des personnages, tout livre a toujours pour
sujet principal de capturer, ne fût-ce qu'à
quelques reprises, le sentiment d'être vivant. Le poète Ted
Hughes, mari de Sylvia Plath, parlait de cette capacité de
la poésie – ou de la littérature – à nous faire ressentir la vie,
ou en tout cas un moment, précisément tel qu'il l'était. Peut-
être obsédés par le temps qui passe, nous sommes toujours
amenés à vouloir prouver la réalité des moments que l'on
vit en les revivant.

Au-delà de la volonté de capturer le temps présent, dans
son désarroi encore palpable, sa valeur de choc, c'est aussi
une certaine transparence qu'apporte la crise aux tensions
qui font notre société et la vie contemporaine. Les explications économiques de la crise ne manquent pas, mais on se
doit aussi de réfléchir à ce que signifie la crise d'un point

de vue culturel, quels sont les valeurs et les comportements qui y ont mené et quels seront les effets de celle-ci. En effet, cette crise est-elle un pur détour sur un chemin de la croissance dont les signes avant-coureurs s'annoncent déjà ? Le retour de la croissance va-t-il signifier « *business as usual* », ou est-ce que la crise que l'on vient de vivre va entraîner un changement profond ?

Un point de vue est que la crise représente une manifestation de ce qui a toujours existé. En effet, il est intéressant de montrer en quoi la crise a été l'aboutissement de tensions bien ancrées dans nos sociétés. La crise apporte toujours une sorte de dénouement factice, un espoir de changement bien sûr jamais réalisé. Une fois la croissance revenue, la nature humaine reprend le dessus – jusqu'à la prochaine crise où les histoires de « *hybris* », cette notion grecque d'arrogance humaine, d'avarice et d'ostentation vont de nouveau faire la une. Rien de nouveau sous le soleil.

Les prédictions de changement sont ainsi toujours plus radicales que le changement lui-même – néanmoins, les transformations deviennent bien visibles à travers le temps.

Au-delà de la compréhension de ce moment très particulier, se pose aussi la question de la forme littéraire la plus adaptée pour le décrire. Les formes du roman du XXe siècle sont-elles encore adaptées au XXIe ?

Il est clair que le roman postmoderne fournit un cadre de référence inéluctable. En effet, il s'agit d'un kaléidoscope – de la vie new-yorkaise, de personnages, de points de vue mais aussi de genres, puisque les cadres des genres classiques semblent bien insuffisants pour traduire la vie postmoderne. La crise est particulièrement intéressante de ce point de vue-là, puisqu'il s'agit d'une sorte de cécité collective – des signes isolés s'élevaient par-ci, par-là, mais les différents acteurs étaient trop enfermés dans leurs perspectives personnelles pour voir la totalité de l'image. La crise nous renvoie donc l'image d'un monde parcellé, d'un miroir brisé en petits morceaux que l'on pourrait à peine (si jamais) reconstruire.

L'absence d'un point de référence objectif – ou du moins partagé – pose donc un problème central dans la crise que nous vivons. L'absence de repères moraux chez les différents acteurs de la crise a été mise en évidence à bien des reprises. Comment penser un cadre moral pour les actions de ces différents acteurs, dans un monde « désenchanté » ayant perdu ses illusions et ses idéologies ? Une école de pensée, suivant vaguement Fukuyama, avait tendance à voir dans l'économie de marché un fondement philosophique et non pas seulement commercial, une « main invisible » qui serait en quelque sorte semblable à la « ruse de l'histoire » hégélienne, car elle arrangerait automatiquement pour le mieux moral et sociétal les actions des acteurs particuliers, qui ne suivent pourtant que leurs intérêts privés. Les lacunes de cette vision ont été bien mises en évidence par la crise : des perspectives éclatées ont conduit à un monde éclaté – au sens propre aussi bien que figuré.

Une approche opposée à la question des repères éthiques suggère une certaine nostalgie d'un monde plus ordonné, comme si le retour au « bon vieux temps » allait ramener des valeurs à l'ancienne. Le monde est devenu tellement compliqué que la tentation de le simplifier est forte, en vue de rattraper ces valeurs qui nous échappent aujourd'hui. Les voix qui appellent à plus de régulations sont en effet une sorte de manifestation de cette nostalgie – l'espoir d'une autorité qui ramène de l'ordre dans notre univers – sinon Dieu, au moins le gouvernement. Hélas, la complexité du monde où nous vivons rend cette confiance en un gouvernement omniscient plus que douteuse – la crise a démontré qu'aucune institution toute seule n'a eu une vision suffisamment globale du marché. Mieux intégrer les voix individuelles d'économistes et de différents acteurs, incorporer des points de vue différents – et divergents – des protagonistes serait donc plus judicieux que de créer une autorité dotée d'une superpuissance supposée – une approche multilatérale plutôt qu'uniforme. L'espoir du rôle calmant que pourrait jouer une autorité suprême relève de cette nostalgie de l'omnipotence que nous ressentons dans ce monde éclaté, qui échappe à notre contrôle, et qui défie la compréhension par la multiplicité des perspectives qu'il offre.

Adorno a analysé en détail cette tentation dans « Le Jargon de l'authenticité », notre nostalgie d'une réalité objective et transcendante et notre volonté, consciente ou non, d'échapper à notre emprisonnement dans un monde subjectif. Selon lui, il n'est possible pour nous de retrouver ce confort perdu que dans l'illusion – que ce soit dans l'opéra wagnérien ou la peinture italienne de la fin du XXe siècle – dans le « comme si », dans la volonté de croire à la possibilité de ce monde révolu alors que l'impossibilité en est évidente.

Le langage devient donc un outil central de ce double subterfuge – à la fois trompe-l'œil et second degré. La tentation a donc été grande, dans le roman postmoderne, d'explorer les formes traditionnelles, que ce soit le roman-fleuve, avec une linéarité illusoire, nous menant d'une main de maître à un dénouement qui n'en est pas un, ou encore le retour de l'art de dessiner en peinture. L'analyse autodérisoire fait bien sûr partie du même genre de jeux de langage, présentant une façade de sérieux et mélangeant fiction et réalité, citations imaginaires et réelles comme Nabokov en était le maître.

Comment penser l'évolution de la forme littéraire en temps de crise ? Le même discours nostalgique qui préconise de vieilles solutions pour de nouveaux problèmes va-t-il ramener un enfoncement dans une forme romanesque encore plus traditionnelle, réconfortante dans l'illusion qu'elle nous renvoie de notre capacité à comprendre les événements ? Rien de tel que le retour aux catégories traditionnelles du temps et de l'espace pour approcher un monde où l'information circule de manière simultanée aux quatre coins du monde, et où la règle de l'unité spatiale semble être démentie par le lien évident entre des événements qui se déroulent dans des parties opposées de la planète.

Sera-t-on, au contraire, tenté par des formes littéraires de plus en plus ésotériques, reflétant une vision du monde de plus en plus subjective, intensément personnelle, à la manière de la poésie ? On pourrait ainsi imaginer une dissociation toujours plus grande entre une forme littéraire de moins en moins accessible, parlant à son propre reflet dans le miroir, et la littérature dite populaire, opérant comme si rien ne s'était passé et comme si le monde d'antan était toujours à notre portée, un peu comme dans le quotidien nous opérons toujours en présupposant une réalité extérieure quelque peu objective.

La crise, pourtant, a fait de ces préoccupations philosophiques notre pain quotidien. L'incertitude de l'avenir, l'absence d'une réalité objective sur laquelle s'appuyer en toute sécurité, la nécessité de vivre avec plusieurs points de vue justifiables mais souvent contradictoires – tout ceci est devenu le quotidien d'une culture à la recherche d'elle-même. Il faudrait donc en tirer parti avant qu'une nouvelle vague de croissance ne nous apporte un nouveau voile d'illusions.

Ce livre est donc une histoire de perte de contrôle. À l'encontre du héros de roman traditionnel, qui finit toujours par regagner le contrôle après son rite de passage par les victoires et défaites diverses (et qui maintient toujours le contrôle, ne fût-ce que de sa souffrance, et surtout de sa destinée), l'histoire de l'antihéros de notre époque est essentiellement une histoire de dépossession. Dépossession matérielle d'abord – au sens propre – à une époque où les saisies de biens hypothéqués continuent à un rythme accéléré. Mais aussi dépossession mentale, au moment où bien des valeurs et des certitudes semblent s'écrouler. L'antihéros de notre temps, contrairement à ses prédécesseurs traditionnels, n'arrive pas à maîtriser son propre narratif – leurs tentatives même de « prendre les choses en main » et de réagir les amènent à perdre le contrôle toujours davantage. Cette spirale les transforme en objets plutôt qu'en sujets indépendants, avec pour seul espoir de comprendre le narratif de leur vie mais non de la contrôler.

Cette situation est donc directement contraire aux mythes positivistes qui ont nourri la civilisation américaine : d'abord, le mythe de la maîtrise que nous avons de notre destinée – dans le roman postmoderne, nous nous retrouvons prisonniers d'un langage qui joue avec nous au lieu d'être notre outil. Ensuite, la notion d'absence d'une réalité objective coupe l'herbe sous le pied du héros positiviste, puisque toute communication devient quasiment impossible dans ce monde où tout un chacun est enfermé dans son univers. Comment s'accrocher à une idée de projet commun, de réalité partagée, quand le langage lui-même, dans le rôle traître propre à la sensibilité postmoderne, s'oppose à la communication plutôt que de la faciliter ? Le terme de vanité joue en effet un rôle nouveau, pour inclure le langage lui-même dans sa prétention d'exprimer la condition humaine.

Le projet commun devient donc dorénavant la recherche de la connexion elle-même – un trait de notre condition devenu évident, à une époque où l'espoir de trouver un lien avec un autre humain, de créer une connexion semble être au centre de l'expérience humaine, virtuelle ou « réelle ». La création de réseaux virtuels comme la recherche désespérée d'un lien humain ne sont surprenantes que si l'on part du principe de l'existence d'un projet commun, fondé sur une réalité partagée. Les différents analystes ont ainsi sous-estimé la profonde solitude humaine, l'expérience solitaire de vivre dans ce monde brisé en morceaux. Alors que l'on en est à abandonner l'espoir d'une vision partagée, c'est la recherche de la connexion elle-même, avec ou sans fondement, qui prend le dessus.

Alors que chaque connexion peut être réelle en soi (mais tout aussi bien inventée), elle ne présuppose plus nécessairement l'existence d'un univers objectif existant en dehors du monde ainsi créé. Dans la culture populaire, Second Life et aussi, à un moindre degré, Facebook donnent la possibilité de créer son propre monde, une réalité parallèle que l'on peut être invité à partager, sans jamais suspendre l'ironie. Cette attitude nous transporte dans un monde du « comme si », où l'on peut essayer différents mondes, systèmes de croyance et de vie comme on pouvait essayer un costume de carnaval.

Comment définir dès lors la notion de grands projets ? Nombreux sont ceux qui se demandent ce qu'il en est de la politique, de la religion et de la spiritualité, mais aussi de l'art et de la littérature dans un univers constitué ainsi de mondes séparés ? Cette question renvoie aux conditions fondamentales de l'époque de la fin des grandes croyances. La grande différence est la méfiance fondamentale de notre temps à l'égard des grands narratifs, des « théories de tout » : l'idée même qu'un fondement philosophique commun serait possible est idéologiquement suspecte et passible de manipulation.

Ce que ce livre ne prétend donc pas faire est de montrer la « voie » d'une vie éclairée – la notion même d'une telle possibilité serait aujourd'hui périmée. La recherche d'une alternative à la culture ambiante serait donc profondément personnelle, certainement hors du champ de la prescription. Plus intéressante que la forme que prend cette recherche – qu'elle soit spirituelle, savante, civique ou amoureuse – est la capacité de sortir de soi et le sentiment renouvelé d'une possibilité de lien, possibilité désormais considérée comme presque utopique. Ce lien peut être défini dans le sens le plus large, comme lien et compassion par rapport aux autres humains, à la nature, y compris les animaux, et serait instinctif plus que cérébral, passant donc par le corps tout autant que l'esprit (l'étymologie même du terme « compassion », ou « sentir avec », évoque déjà cette idée de lien). Alors que les différents personnages peuvent ainsi poursuivre leur recherche sous les formes les plus variées, c'est l'état final qui compte et non pas le chemin emprunté. Notre époque se méfie ainsi comme de la peste de tout discours prescriptif ; peut-être la différence est-elle dans le fait que, libérés par la distance postmoderne, il nous devient aujourd'hui possible de penser un rapport à l'absolu sans recours à un discours prescriptif.

L'absolu est-il toujours l'absolu, s'il se laisse appréhender ainsi de manière individuelle ? Il est clair que toute autre approche serait pour nous factice et superficielle, nous avons donc la chance de tenter l'aventure du grand écart entre une vision du monde qui n'exclut plus l'absolu, et une approche individuelle (donc par définition relative), ou de jeter toute l'entreprise aux oubliettes. Notre instinct métaphysique nous interdisant de le faire, nous nous trouvons dans la nécessité de nous mettre plus à l'aise avec les contradictions de notre époque.

La possibilité d'un contact humain, d'une connexion, réelle ou inventée, serait ainsi peut-être le seul espoir qu'il y ait. Non pas la réinvention du monde, mais la réinvention (ou le souvenir), comme le diraient les anciens, de l'expérience humaine – une expérience frémissante de vie tant elle est connectée, avec autrui et autre chose. La possibilité donc de sortir enfin de soi-même grâce à un abandon des limites artificielles de la personnalité, mythe occidental dont notre époque montre les limites destructrices. Alors que l'on parle de « recherche identitaire », le concept même d'identité nous enferme dans un « moi » et cimente l'expérience isolatrice qui est la nôtre. On sait depuis Tolstoï que l'identité est mouvante (« les êtres humains sont tels des fleuves, et on n'entre jamais dans le même »), depuis Virginia Woolf qu'elle contient des facettes multiples, depuis Robert Musil qu'elles peuvent être contradictoires, et depuis Sartre qu'elles sont nos propres créations, résultant d'un choix délibéré. Mais c'est l'idée même que l'on peut « se trouver soi-même » qui paraît trompeuse, dans la mesure où elle nous objective en présupposant que nous sommes « une chose » plutôt qu'une autre et enlève donc la possibilité d'une connexion qui nous libérerait de ce moi dominateur et factice au cœur de la civilisation occidentale. Quand Nietzsche dit que le vrai malheur est d'être né, il parle peut-être déjà des limites imposées par cette notion factice de personnalité qui nous sépare du monde et nous enferme en nous-mêmes.

L'invention de la notion d'individu, si centrale dans notre culture, et la notion romantique d'intériorité, ont donc pu donner naissance à la « prison de la personnalité », qui nous enferme dans notre propre monde, sans passerelles vers celui d'autrui. Si le monde préromantique était un monde connecté dans la mesure où une vision du monde plus unifiée existait, du monde médiéval à celui des Lumières, le modernisme éclate cette vision unifiée. L'écriture postmoderne, avec ses pastiches et effets de cascade, ose établir une connexion avec ce monde perdu, du moins au second degré, effort qui reste ironique car on sait malgré tout qu'il est voué à l'échec. Il appartient peut-être à notre temps de crise d'inventer la possibilité d'une connexion, non plus avec tous car nous avons perdu la capacité de croire à un monde ainsi partagé, mais du moins à quelqu'un ou quelque chose à l'extérieur de nous, ce qui rend déjà notre expérience moins isolante. L'individu de notre temps dépasserait en effet l'individu postromantique enfermé dans son propre monde, mais sans prétendre retrouver l'homme intégré, ayant sa place dans un monde bien ordonné. Plus que la recherche de sa place dans le monde, cet individu ferait partie d'un certain nombre de réseaux superposés, non sans contradiction, mais créant tout de même une possibilité de sortie, ne fût-ce que temporaire, de ce monde individuel devenu enfer moderne (l'enfer étant effectivement, selon une école de pensée bien documentée aujourd'hui, une séparation, ou un manque de connexion avec ce qui est essentiel).

La notion même de « héros de roman » se trouve donc exposée comme un subterfuge, dans la mesure où elle relève toujours de « l'apothéose de l'individu » propre à l'époque romantique : non seulement l'« antihéros » ne contrôle pas sa destinée, mais son expérience de recherche intérieure en vient à contribuer à son isolement.

De même, prétendre à une explication – ou une compréhension – complète de ce que nous vivons serait propager une illusion qui date d'une autre époque. Dans notre désillusion des réponses collectives, si l'on peut ne fût-ce qu'approcher la vérité des recherches de certains, encore plus trouver une ligne qui nous rapproche de l'expérience des autres, c'est déjà beaucoup demander. Beaucoup vont dire que dans le vide idéologique où nous sommes ainsi laissés, notre époque manque d'ambition – mais c'est oublier que l'expérience individuelle en sort enrichie, l'enfermer dans un cadre idéologique et universaliste conduit inévitablement à les appauvrir. À ceux qui ont la nostalgie des grandes explications, on peut opposer la triste et belle vérité selon laquelle partager ces expériences individuelles est néanmoins possible.

Kaléidoscope d'expériences humaines, encore chaudes d'avoir été touchées par la souffrance, morceaux de miroir brisé, superposées l'une sur l'autre, avec peut-être l'espoir de se souvenir – avec un peu de chance – de leur appartenance.

Le contexte

La crise a été dans les sociétés occidentales l'occasion d'un désencombrement radical. Un contrepoint à l'excès des années du boom financier, où la consommation avait libre cours et n'avait plus de limites, un gouffre d'appétit qui nous poussait à vouloir toujours plus sans jamais être satisfait de rien. Les appétits sont devenus de plus en plus voraces, et les possibilités de les satisfaire toujours plus grandes.

Trois causes essentielles s'imposent comme explication. Premièrement, les instruments financiers tels que les produits structurés, dérivés et autres, existaient déjà depuis le début des années 90 mais sont devenus de plus en plus complexes pendant la dernière décennie. En même temps, ces instruments, qui avaient été l'apanage des investisseurs sophistiqués, ont connu une utilisation de plus en plus généralisée, jusqu'à générer un marché de masse. D'instruments ponctuels, propices à gérer des risques spécifiques, utilisés par des investisseurs avérés, ils sont devenus des paris faits par un groupe de plus en plus large d'investisseurs à l'approche de la gestion de risques de moins en moins fine, jusqu'à devenir l'outil généralisé d'une économie aux allures de casino.

Alors qu'en 2007 la crise paraissait limitée aux « *subprimes* », de même que la chute des marchés en 2000 paraissait limitée à la bulle Internet, dans les deux cas l'économie générale a vite fait d'attraper le virus. Plus personne n'était à l'abri, comme on l'a vu avec les faillites bancaires de 2008, y compris les meilleures marques et les noms les plus respectés.

Deuxièmement, les succès et la prospérité croissante créés par les marchés avaient donné lieu à une philosophie de croyance sans fin dans leur pouvoir d'autorégulation. Alan Greenspan, longtemps considéré par les marchés comme « saint Alan », capable de calmer les tempêtes les plus féroces et de faire sortir l'économie de toutes ses crises, a avoué son désarroi à l'égard de la crise actuelle – il avait cru fermement à la « main invisible » d'Adam Smith.

Toujours est-il que les appels à plus de régulations que l'on entend aujourd'hui doivent être placés dans le contexte d'une crise que peu ont vu monter, les régulateurs pas plus que les autres acteurs. Alors que des voix isolées s'élevaient depuis un bon moment pour modérer la bulle immiscible et la montée de l'endettement, ce n'est pas le manque de pouvoir mais le manque de perspicacité qui a entravé la capacité des régulateurs et du gouvernement à prévenir l'avènement de la crise. Donner plus de pouvoir à la régulation ne va donc pas nécessairement garantir plus de lucidité face aux crises à venir – les régulateurs et les gouvernements, même dotés d'un plus grand pouvoir, ne sont pas forcément plus clairvoyants que les acteurs privés, qui ont également un intérêt à prévenir la crise.

Troisièmement, un endettement sans pareil est devenu la base même de l'économie américaine. Des entreprises aux fonds d'investissements, en passant bien sûr par les individus, la banalisation de l'endettement a été la norme. L'une des questions à l'avenir sera comment engager un processus de désendettement, fût-ce par l'inflation, la dévalorisation ou le pardon de la dette. Au bout du compte, ce n'est qu'un niveau d'endettement moins élevé qui pourra amener un retour à la consommation, sauf à entraîner une nouvelle spirale consommatrice sans appui réel.

Beaucoup de ces problèmes ne datent pas d'hier – en effet, ces dynamiques étaient largement en place depuis la crise de 2000-2002, avec l'éclatement de la bulle internet et la crise du 11-Septembre. À la suite de la chute des marchés financiers, l'immobilier a été considéré comme un investissement de plus en plus sûr, et des fonds autrefois destinés au marché des actions ont été de plus en plus orientés vers l'immobilier. La montée des prix qui en a résulté a entraîné le cercle vicieux de l'endettement, des emprunts et instruments financiers de plus en plus complexes et de moins en moins transparents, dans un contexte de vide réglementaire. Les problèmes auxquels nous avons à faire face aujourd'hui ne sont donc pas nouveaux, mais sont bel et bien un prolongement de la crise de 2000-2002 et des changements structurels qu'elle a engendrés dans la société américaine.

En effet, le 11-Septembre a eu sur la société américaine un effet difficile à sous-estimer. La première attaque directe sur le sol américain (après Pearl Harbor, attaque sur une base militaire au large des côtes américaines) a laissé la société américaine dans une situation de vulnérabilité jamais connue auparavant. L'exceptionnalisme américain en a pris un coup, le mythe de l'invincibilité et le sempiternel optimisme américain en ont été les premières victimes.

Alors que la société américaine de la décennie Bush se murait dans une idéologie guerrière et une politique étrangère qui ne laissaient plus guère de place aux idéaux américains, la société américaine en est venue à ne plus se reconnaître elle-même. « J'ai mal à l'Espagne », disaient les intellectuels espagnols en 1898, à l'époque de la crise de l'empire et de la société espagnole à la fin du XIXe siècle. « J'ai mal aux États-Unis », auraient pu dire les intellectuels américains. Alors que l'exil est devenu une option pour la première fois dans un pays qui avait coutume de servir de terre d'exil pour les intellectuels et les réfugiés des autres pays, c'est l'identité américaine elle-même qui était mise à mal. Ce pays, qui avait été créé sur la base des idéaux de liberté, ne se reconnaissait plus dans les limites imposées aux libertés civiles.

L'élection de Barack Obama à la présidence a apporté un nouveau souffle d'espoir à un pays où l'optimisme omniprésent cachait de plus en plus mal un malaise profond. Toutefois, l'inauguration du premier président depuis des décennies apte à inspirer la société américaine tel un Kennedy s'est faite dans un cadre presque lugubre, tant le contraste entre l'idéalisme idéologique et le marasme économique était palpable. La chute de Lehman Brothers, quelque deux mois avant les élections, ainsi que les faillites successives d'une institution phare après l'autre ont apporté un cadre singulier au début de cette présidence historique.

La crise économique a donc été révélatrice d'un mal de vivre plus profond. « Quel triste pays », comme le remarque l'écrivain Karen Armstrong, qui parle dans son dernier livre de la tendance simplificatrice de l'Amérique profonde, et notamment du côté primitif et quasiment enfantin de son rapport avec Dieu. Dans un pays où l'optimisme est une seconde nature, la nécessité de faire contre mauvaise fortune bon cœur ajoutait au malaise. Au-delà de l'analyse de la crise économique, c'est ce malaise profond de la société américaine qui doit être mieux compris.

Pourquoi ce malaise serait-il pertinent d'un point de vue européen ? Il serait trop facile de l'expliquer par le désarroi d'une société axée sur le progrès matériel, et qui refuse d'abandonner l'idéal du rêve américain. D'abord, la souffrance de cette société américaine en prise avec ses paradoxes est caractéristique de la société moderne, une société essentiellement « désenchantée » de ses propres valeurs, qui de jour s'efforce de vivre selon ses principes de démocratie et d'économie de marché, mais qui de nuit ne cesse de rêver à un rapport renouvelé au surnaturel et à sa propre spiritualité. Cette double face de la société moderne – attachement aux valeurs positivistes du progrès d'un côté, mais aussi nostalgie mal dissimulée d'autre chose – est révélée de manière particulièrement extrême dans la société américaine. Est-ce le signe avant-coureur de ce que l'on pourra voir en Europe ? Aux États-Unis, la recherche d'une nouvelle spiritualité est plus évidente mais aussi plus simpliste, la poursuite de la consommation n'est pas tempérée par les traditions, et la société ne laisse pas d'autre cadre que le succès matériel pour la définition du statut.

Mais une explication par la seule consommation n'est-elle pas un peu simpliste ? Adorno avait parlé il y a déjà des décennies, dans « Le Jargon de l'authenticité », de l'aliénation de la société moderne, laissée en proie à une nostalgie d'une vision plus partagée du monde, d'un passé désormais idéalisé. Est-ce le retour de ces mêmes fantômes que la crise a conjuré ? Et si c'est le cas, est-il pensable que la société continue à avancer comme auparavant, oubliant ou en tout cas dissimulant ces spectres dès le retour de la croissance ?

Le phénomène de l'*hybris* est le plus vieux de l'humanité, et rien ne saurait changer cet instinct de base ; à chaque prédiction de changement de vent, on retrouve les mêmes repères et les mêmes problèmes qu'au cycle précédent. Cycle sans fin ? Depuis Fukuyama, forte est la tentation de voir le monde moderne comme état de fait final, où les crises se succèdent (et se ressemblent) mais sont toujours suivies d'une période de croissance qui ramène les mêmes problèmes à l'ordre du jour.

Ce que les philosophes savaient depuis longtemps fait maintenant partie de l'inconscient collectif – la fin du linéaire hégélien, qui continuait à trôner dans notre société malgré nombre de récusations philosophiques. En effet, cette crise semble sonner le glas d'une vision linéaire de la société et de la vie humaine. La carrière linéaire, toujours en progression logique, fait aujourd'hui partie d'un passé révolu, de même que l'attente des lendemains qui chantent fait désormais partie du répertoire des naïfs en politique. Alors que la pensée postmoderne avait rejeté depuis longtemps l'ancienne idée positiviste, les grands cataclysmes tels que la crise de 2008 ramènent ces idées plus près du quotidien.

Cette nouvelle crise apporte également l'annonce de la fin de l'optimisme. Ce compagnon de route du positivisme n'en finit pas d'être la victime des catastrophes et des découvertes des XXe et XIXe siècles, pour renaître de nouveau tel un phénix. Quelques années avant la découverte de la théorie de la relativité, il était de bon ton de croire que les mystères du monde étaient résolus, et il ne restait que 23 problèmes mathématiques avant une explication ultime de l'univers – tout cela juste avant le chamboulement apporté par Einstein à la physique newtonienne. L'optimisme (et l'ennui) de Fukuyama ne sont pas étrangers à cette croyance au progrès, cette même prétention de tout expliquer et de trouver une solution à tout.

Finalement, la crise marque un bémol à la croyance en la technologie en tant que force de changement du monde. La « tristesse des polards » est devenue un signe distinctif de notre époque : ces entrepreneurs qui, après avoir monté société sur société, ont vu leurs rêves brisés par la crise financière et le capital en manque. Ce capital qui aurait permis d'habiller de chair leurs rêves d'une technologie transformatrice, à même de changer l'expérience humaine de fond en comble. Car les systèmes informatiques censés contrôler la chute des marchés ont bel et bien failli, de même que les systèmes d'évaluation de risques extrêmement sophistiqués installés par les banques dans les dernières années.

L'autre question difficile à aborder est le changement de valeurs apporté par la crise. L'une des grandes questions posées par la crise de 2008 concerne la place de l'éthique dans notre société. Ainsi que l'explique un banquier de

Goldman Sachs au journaliste John Arlidge, « la culture est complètement obsédée par l'argent... Il y a toujours la place – et le besoin – pour avoir plus. Si l'on n'achète pas une maison ou un bateau plus grands, on n'est pas à la hauteur ». Tandis que Lloyd Blankfein, le PDG de Goldman Sachs, déclare au *Times* de Londres qu'il croit faire « le travail de Dieu » en aidant les entreprises à se développer, faisant allusion à la pensée de Max Weber[2]. Alors que les managers du hedge fund de Bear Stearns sont acquittés, c'est bien l'aspect éthique et non pas légal qui est en question aujourd'hui.

En effet, pour le philosophe chrétien Jim Wallis, la crise contemporaine est bien plus qu'une crise financière – c'est bel et bien d'une crise morale qu'il s'agit. La question pertinente pour lui n'est donc pas « Quand est-ce que la crise sera terminée ? », puisque le retour à la « normalité » pensée à travers les valeurs du passé ne saurait mener qu'à une nouvelle catastrophe. La vraie question est « Comment serons-nous transformés ? », le changement des mentalités prenant le pas sur l'évolution des indicateurs économiques.

Pour lui, plusieurs domaines de transformation culturelle s'imposent à la réflexion. D'abord, le crédit en tant que moteur économique de la société américaine est révélateur d'un problème plus grave – la propension à dépenser des ressources que l'on n'a pas pour se procurer des choses que l'on rêve de posséder car, dans notre imagination, leur possession nous apporterait le bonheur. Écueil classique de la société de consommation, cet effet a été disséqué maintes

---

2 http://www.nytimes.com/2009/11/11/opinion/11dowd.html?_r=1&em

fois, par Adorno et les critiques de l'utopie de la consommation, ou encore par Georges Perec dans « Les Choses ». L'analogie souvent utilisée est celle, venant de la philosophie orientale, qui voit l'esprit humain comme une girouette toujours tournée vers le prochain désir, désespérant de ne pas y trouver de satisfaction et sautant donc vers le prochain pour subir le même destin. Un « voile de l'illusion » identique serait donc créé par des désirs de consommation qui se succèdent dans une tourmente sans fin : accéder au paradis de la possession d'une chose suffirait pour affirmer notre statut et finalement notre existence. La boulimie de consommation que l'on a pu connaître avant la crise nous indique donc un malaise existentiel difficile à ignorer.

Le deuxième volet de l'analyse de Jim Wallis est la critique de l'autre facteur motivant du travail et de la réussite à l'américaine – le désir de rivaliser de standing avec ses voisins (ou « keep up with the Joneses »). Bien des économistes avaient vu dans ce péché de l'envie une force majeure du rêve américain. Selon l'analyse de Jim Wallis, il est temps de penser au bien-être des voisins plutôt que de rivaliser avec eux.

L'élection de Barack Obama a changé la donne : son appel au service civique, s'inspirant de celui de Kennedy, a été entendu par toute une génération d'Américains qui se sentaient avides d'air frais. Si la société américaine de l'époque de Georges Bush a été largement caractérisée par un désir d'enrichissement et de promotion du moi, celle de Barack Obama se voit, du moins au niveau de son programme et de l'image qu'elle voudrait se donner d'elle-même, comme une société plus engagée, soucieuse de l'autre et des conséquences de ses actes. Alors que l'on voit le taux de participation à des programmes de charité se multiplier au niveau individuel, les sociétés se voient contraintes d'offrir à leurs employés la possibilité de dédier du temps à des activités caritatives, sous peine d'être perçues comme refusant de contribuer à la société. Les Américains ayant perdu leur travail ont choisi en masse de dédier leur temps à l'entraide, et ceux dont l'emploi était toujours existant voyaient de plus en plus dans la solidarité un bol d'air frais dans le train-train quotidien.

Tocqueville notait déjà l'importance de la vie associative aux États-Unis, où des groupes de citoyens privés choisissent d'affronter des problèmes ailleurs réglés par l'État. Il est tentant de percevoir dans cette tendance si américaine une redéfinition de la valeur de l'individu, évalué non plus selon sa réussite matérielle mais bien selon l'apport positif que celui-ci est capable d'amener à la société. Mais la transformation dont parle Jim Wallis est bien plus profonde – non seulement un réancrage de valeurs, mais bien une *réappréciation* du rôle même de l'individu, non plus comme sujet et acteur solitaire mais en tant que partie intégrante d'une communauté et du monde auquel il appartient. On a vu l'explosion, dans le roman moderne, du sujet en tant qu'acteur indépendant et agissant sur le monde, au profit d'une conscience fluide, s'inspirant de et intégrée dans le monde qui l'entoure, « fenêtre sur le monde » selon l'expression de Husserl. De même, de manière plus prosaïque, ce n'est pas l'individu solitaire qui est salué en tant qu'agent du changement mais bien des mouvements, orchestrés par les ONG et autres campagnes virales. L'équilibre traditionnel entre individu et État est modifié à jamais – de même que l'on parle de « troisième lieu » entre maison et bureau, on a assisté à l'émergence d'un « troisième pouvoir », de courants sociaux autofédérateurs et de mouvements (ou campagnes) de citoyens réunis par des affinités électives.

Depuis Max Weber, on accepte un monde désenchanté comme la nouvelle normalité. Est-il possible d'espérer que de la crise naisse un nouvel humanisme ? Contrairement à l'humanisme positiviste du passé et à sa croyance sans fin en l'intelligence humaine ou le progrès, cette nouvelle veine de l'humanisme mettrait fin à l'illusion que l'on porte depuis la Renaissance, sinon depuis les présocratiques, que l'homme est le centre de l'univers. Ce nouvel humanisme est moins centré sur l'être humain lui-même que sur ses rapports avec l'univers – être en harmonie avec son corps, avec le monde qui nous entoure mais aussi avec notre spiritualité. En effet, le besoin de ce sentiment d'être en contact, cette recherche d'un lien avec autrui semblent être au cœur des préoccupations de l'homme moderne.

La vraie question reste pourtant : est-ce que les choses vont vraiment changer ? « Tout est comme avant », titre le *New York Times* à l'annonce des bonus de Wall Street. La presse des deux côtes de l'Atlantique n'en finit pas de fustiger sans fin les habitudes des « banquiers pourris » qui restent difficiles à éradiquer. Le Dow Jones fuse vers le haut, et la fête reprend ses droits.

On a assez parlé d'*hybris* et d'avidité au cours de la dernière crise, caractéristiques humaines toujours désignées comme responsables des crises, dès la tragédie grecque ou encore l'Empire romain. Après le 11-Septembre, on avait parlé d'un regain de solidarité et de spiritualité, en particulier à New York où des citadins nantis remettaient en question leur vie et redécouvraient les valeurs de la famille, de l'amitié, de la générosité ou simplement de la gentillesse. Après le krach boursier de 1987, on annonçait également une décennie des années 90 plus centrée sur « l'intérieur » avec le cocooning et une modestie renouvelée, à la suite du bling-bling des années 80. Néanmoins, la reprise économique n'en finit pas d'apporter une nouvelle vague de consommation et de cynisme, comme si à chaque fois la réussite économique balayait de côté les bonnes résolutions du temps de la crise. Il suffit au spectre du rêve américain de pointer le bout de son nez, et les règles de la morale sortent par la fenêtre.

Pourtant, le changement est bien perceptible. Peut-être la transformation n'est-elle pas aussi radicale qu'on l'avait annoncé, mais elle est bien réelle. Nous sommes bien loin aujourd'hui de la voracité mercantile et de la culture yuppie des années 80 – le New York d'aujourd'hui est plus sophistiqué, plus nuancé, et plus spirituel aussi que le New York des années 80. Le 11-Septembre a certainement marqué un changement de taille dans le comportement et l'inconscient collectif des Américains. Graydon Carter, l'éditeur du Vanity Fair américain, a pu parler à cet égard de la « fin de l'âge de l'ironie », un peu comme en Europe, après la Seconde Guerre mondiale, Paul Ceylan et d'autres poètes ont pu parler de l'impossibilité d'écrire de la poésie comme avant. La réapparition des comédies, et surtout des « films catastrophe » quelques années plus tard, a bien vite démontré que cet état d'esprit n'était néanmoins pas fait pour durer.

C'est ainsi que se font les changements d'époque – moins drastiques que l'on ne peut l'annoncer, mais faisant toutefois leur bout de chemin.

Il est donc clair que la crise de 2008, comme on l'appelle désormais, aura provoqué un changement de taille dans la société américaine. La réglementation, à laquelle Wall Street a tant résisté, deviendra sans doute une réalité – le gouvernement Obama s'est déjà montré prêt à intervenir dans la politique de compensation des grandes banques, et même Alan Greenspan avoue que sa croyance dans les capacités autorégulatrices du marché n'est plus illimitée. Si la « main invisible » du marché est désormais complétée par une main plus visible, Wall Street ne sera plus la même.

Il serait toutefois naïf de s'attendre à des miracles de la part de la seule réglementation. Comme on l'a vu, les bureaucrates ne seront pas plus omniscients que les acteurs du marché, à qui plus de pouvoir ne va pas forcément conférer le don de l'anticipation. Les agences de toutes sortes n'auront pas le pouvoir de changer les tendances du marché – surtout à une époque d'interdépendance globale où les États-Unis ressentent les effets des décisions politiques chinoises. On a vu l'importance de ces liens à l'heure de sauver le monde d'une crise encore plus profonde. Surtout, parler de Wall Street (ou de la City à Londres) est désormais une métaphore – les places boursières ont de moins en moins d'importance à l'heure du trading électronique – ironiquement, le quartier de Wall Street à New York est devenu un quartier de start-ups et d'organisations caritatives, qui bénéficient des programmes de loyers réduits mis en place quand les grandes banques se sont déplacées à Midtown. Le tohu-bohu de Downtown n'est plus que pour les touristes – il ne reste plus que quelques banques telles que Goldman Sachs, qui a gardé son adresse mythique de 85 Broad St.

Wall Street est donc désormais un espace mental plutôt que géographique. De surcroît, ce ne sont pas les instruments qui sont sur les places d'échanges qui ont le plus besoin de réglementation : la majorité des produits dérivés, par exemple, sont aujourd'hui placés en dehors des marchés (« OTC »)[3]...

Quelles que soient les décisions prises en termes de réglementation, ces instruments vont toujours rester au-delà de l'emprise des régulateurs.

Les changements principaux vont donc venir des mentalités et non de la réglementation. Car la question s'étend bien au-delà de ce qui va se passer sur les marchés financiers. Ce qui est bien plus intéressant, c'est ce qui se passe dans la société, et l'évolution des valeurs au sein de celle-ci. De la même façon, il serait réducteur d'expliquer la crise que l'on est en train de traverser uniquement par les aspects

---

3   Selon le rapport de BIS (Bank for International Settlements), leur montant est estimé à 592 trillions de dollars à la fin de 2008 (source : Bank for International Settlements, rapport du 19 mai 2009, http://www.bis.org/publ/otc_hy0905.htm).

techniques des marchés, l'apparition des produits dérivés et le risque entraîné par un niveau d'endettement croissant. Il serait encore plus naïf de croire que quelques ajustements techniques à la nature du fonctionnement des marchés apporteraient une solution. Il est plus judicieux d'analyser quels sont les traits de notre époque ou même ceux de la nature humaine qui ont été partie prenante de la crise. Après tout, *hybris*, goût du risque et volonté de bâtir des empires ne vont pas nous quitter bientôt – c'est bien ce qui rend l'analyse de cette crise pertinente pour les générations futures.

L'autre interrogation de taille concerne la durée de la crise. Alors que les esprits semblent se calmer, la tempête est loin d'être passée. Aux États-Unis, le nombre des entreprises en faillite de janvier à octobre 2009 a doublé par rapport à l'année dernière. Ces faillites sont reflétées par un taux de chômage sans précédent, qui a atteint deux chiffres pour la première fois depuis vingt ans. Ce taux de chômage amène lui-même une crise de consommation qui se joint à la crise de l'investissement provoquée par le crédit. Le consommateur américain, qui a financé tout l'essor économique des années 90 et 2000, reste pour l'instant plus frileux que les médias. En effet, tant que le niveau d'endettement de l'économie américaine n'est pas résorbé, il sera difficile d'amorcer une vraie reprise.

La reprise risque également d'être coupée court par une nouvelle vague de la crise. En effet, il est possible d'imaginer que la crise de la consommation et du chômage donne lieu à une série de faillites de portefeuilles de cartes de crédit. Un autre risque serait l'explosion des fonds d'investissement – ces sociétés de « private equity » qui ont profité du crédit bon marché pour racheter des entreprises avec de plus en plus d'endettement à la clé. En effet, le cabinet de conseil Boston Consulting Group prédit que la moitié des sociétés rachetées par les fonds d'investissement ne seront pas en mesure de repayer leur dette fin 2011. La possibilité et l'étendue de cette « deuxième vague » de la crise introduisent une inconnue de taille. Ou peut-être une possibilité : celle de mener à bien l'évolution des mentalités provoquée par la crise en cours.

Il est toujours facile de trouver des boucs émissaires. Une vraie évolution du contexte culturel, toutefois, ne saurait que passer par une transformation personnelle. La question reste de savoir si l'on est prêt à s'engager dans cette voie.

Chez le même éditeur, lisez aussi :

Mis en pages par Stéphane Nahmani à Paris
Imprimé par CPI France Quercy à Mercuès, France

Dépôt légal : avril 2010
ISBN 978-2-35593-087-4